こちら葛飾区亀有公園前派出所③

こちら葛飾区
亀有公園前
派出所③

目次

突撃(とつげき)！クレーンゲームの巻(まき)
防火
用水
USA

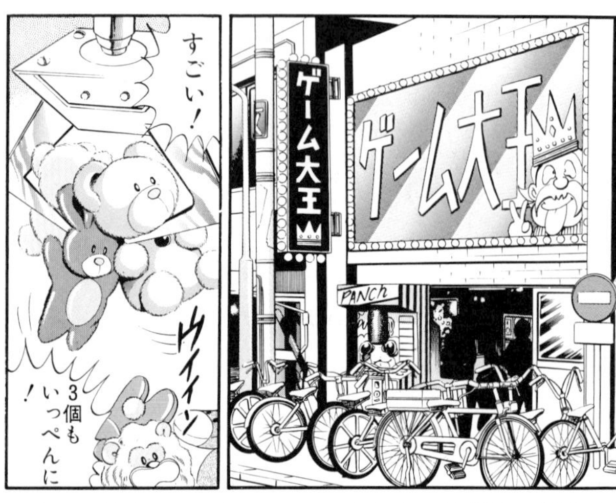
ゲーム大王
ゲーム大王
PANCh
すごい!
ウイイン
3個もいっぺんに!

CHINPIROSUPON
なっ可能だろ!
ウイイン
人形の配置を読む事が大切だぞ
ガタン
本当だ
お前らに人形をあげるよ!
やったあ!

両さん このジャムパンマン とれる?
ZEGA
円盤キャッ
「ゼガ」の 円盤 キャッチャー か!

メーカーに よって 動きや 速さが 異なる からな
へえ

いけるな
やった!
チャリーン

たとえ もぐっていても ハナが出てる からな
クレーンを ハナに ひっかけりゃ 持ち上がる

人形の形状に よってとり方が 違う
まず 横!
ウイイン

次の縦の 動きが 難しい
ウイイン
距離感を つかむのに コツがいる

すごい
やった!
ウイイ

いつも
100円で2、3個
とられちゃ
たまらないよ
いくら人形を
補給しても
すぐ
なくなる!
ZEGA

何か
言ったか?
いえ!
どうぞ
ごゆっくり

テレビゲームも
神技だけど
クレーンゲームも
天才的だね!
コツを
教えてよ!

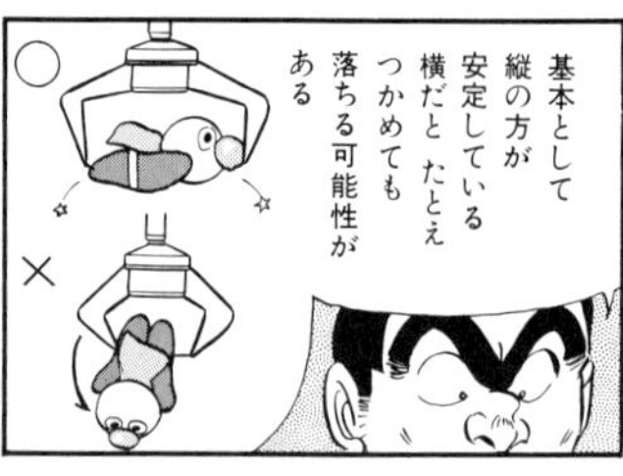
基本として
縦の方が
安定している
横だと たとえ
つかめても
落ちる可能性が
ある

形状によって
重心が違うから
重心を見定め
そこをつかむ
重心
クレーンの力は弱いから
バランスが命だ!

お金を
入れてからは
あまり
なやまない事!
時間切れで
勝手に
クレーンが
動き出す
悲惨な例もある

早く派出所へ
もどれ!
そう!
派出所に
……ん!?

ぼくまだ裏技教えてもらってないよ
だから仕事が…
行かないで両さん

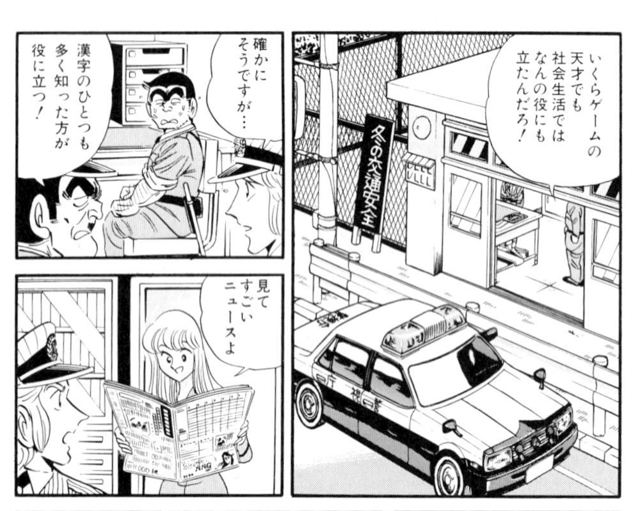
いくらゲームの天才でも社会生活ではなんの役にも立たんだろ!
冬の交通安全
確かにそうですが…
漢字のひとつも多く知った方が役に立つ!
見てすごいニュースよ

クレーンでダイヤなどのつかみどりですって
豪気な話だね!
1万円で3回
なんと!20万円のダイヤモンド!!
OPEN!
どれだ見せろ!
ゴクリ
20万か…これはすごい

部長!ちょっとまたパトロールへ行ってきます!

ダイヤのつかみどりに行くのか!
ぎくっ
ピクーン

ど
どうして
それを〜
行動が
そのままだ！
行くんじゃ
ない！
うっ
おなかが急に
いたくなった
早引き
しないと…
いっつつ…
わざと
らしい
男だ…
行かせて！
生活費を
かせぐチャンス
なんです
そういう
かせぎ方しか
できんのか
お前は！
勤務交代の
時間です
やった

お先に
あっ
こら！
行動が
素早いですね
派出所に
何をしに
来てるのか
わからん…
あの男は…
さあ！
みなさん
どうぞ
大セー
カメアリ
ダイヤモンド
ダイヤモンド・高級時計
とりほうだい!!
ガヤ
ガヤ
ガヤ
ガヤ
高級時計
ダイヤ＆金
一万円か
高いわね
どうしよう
かしら…

一番のり
ビビシ
20万円のダイヤはどれだ？
真ん中の銀のイヤリングがとりやすいですよ！お客様！
ダイヤ&金
高級時計
20万円のはどれだときいとるんだ！
は…はい
一番ハジの赤いケースです…
何よこれ？
これじゃ絶対とれないわ
200,000
大丈夫いける！
えーっだってあんな奥に！
ウイイーン
手前の2万円のリングの方がね…
ムリよねあれは！
ガヤ
ガヤ
よしいい位置だ
ウイイーン
あ！

ひええ
とった!!
ダイヤ&金
ウイイーン
ワー
ワア
すごい
とれた

店長!
20万円の
ダイヤが
早くも!
そ…
それは
まずい!

ヤ&金
ドーン
ポト
あっ

どうも失礼
つい つまずい
ちゃって!
はは…
ひどい
!
とれる
ところだった
のに!
ガヤ
ガヤ
ガヤ

一人で
なん度やっても
いいんだろ
えっ!?
ええ!
お金さえ
もらえれば

4万円
プラスして
あと14回
やる!

今の
態度で
決意が
かたまった
ウイイイ…
高い物から
根こそぎ
とってやる
えっ!?

今度はガッチリだ! 落とせんよ
ダイヤ&金
ウィィーン
ゴゴゴ

20万円のダイヤいただき
すごい!
天才的だわ!
パチパチ

あのお巡りさんゲーム機のプロフェッショナルですよ
なんだって
ガーン

あの! 先ほどは大変 失礼しました… カンベンして下さい
だめ
もう手遅れ!
ダイヤ&

18万円のダイヤもいただき
やめて下さ〜い お客さん!
店がつぶれます!
ずいぶんにぎやかだな
ガヤガヤ
高級時計
ダイヤ

そんなにとれたんですか!?
しめて158万円だ! すごいだろ!

同じように時計のコーナーもあったんだデジタルの安い時計の中に高いのが入っててな!

見事にロレックスを2個!
2回2,000円だったからロレックス1個1,000円!

友人の宝石屋に買いとってもらうよ
すごいテクニックですね……

漢字を多く知っててもダイヤはとれませんからね!
くっくっ

テレビ局の知り合いがクレーンゲームの特番やると言ってましたよ
何本当か!

ぜひ出してくれ!
きいてみますよ
ぐわっ

夢がひろがるなあ!
テレビ局の賞品は高い物が多いからな!

警官としてでなく個人として出るんだぞ
別にどっちでもいいじゃないですか

Dチームはフリーターの両津さん中川さんチーム
パチパチパチ

フリーターと言うのがやはり気になるな！
部長の命令で仕方ないですよ

この会場にある物すべてとって結構です！
うおっすごい
なんとダイナミックな！
人間クレーン
0.
40万円以上
10万円以上
5万円以上

一番手前が家電品！
真ん中が貴金属！
一番奥がなんと車!!
軽から高級車まで！
すごい賞品ですね！
確かにすごいけどよ
かんじんのクレーンの先がついてないぞ
あれ？
用意はいいですか！
ガチャ
はい！ＯＫです
みなさんにクレーンをやってもらいます！
えーっ

スタート
ウイイン
ゲイ
5万円以
以上

ようし
ストップ
ワー
ワー
ワー
ワー
おろせ！

ビデオ
カメラと
CD
ラジカセと…
とにかく
高い物を

あっ！
ウイイーン
もう
時間切れか
！

なんという
番組だ！
欲望
丸出しね！
ワー
ワー
ワー

Bチーム　高価な
エアコンを
手に入れました
しかし
これは重い！
ワー
ワー

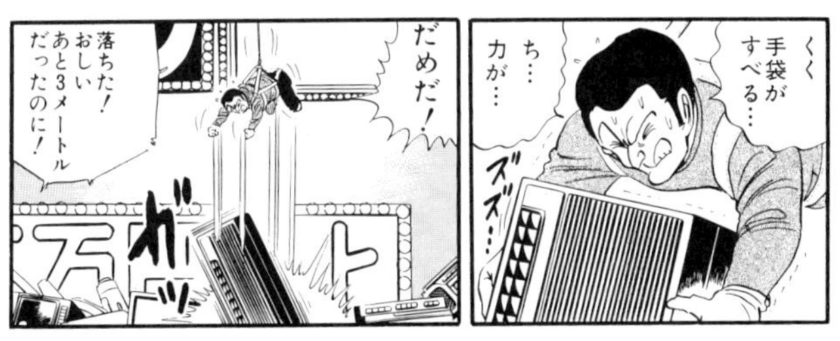
くく
手袋が
すべる…
ち…
力が…
ズズ…
だめだ!
落ちた!
おしい
あと3メートル
だったのに!

ふふ
ちゃんと計算
しないからさ
つかみやすく
小さくて
高価な品を
ねらわないと!

うおっ
すごい!!
ウイイン
高価な
物ばかり!!

このビデオカメラと
…いや
ワープロの方が
……
やっぱり
カメラにしよう
新機種は
どれだ?

な…
なんだ!
まだ
ひとつも
とって
ないよ~
ウイイン

優柔不断が
一番 泣きを
みるんだ
ちく
しょう!
悲惨
ですね
クレーン
5万

次は
Cチーム
なんと
車です
軽自動車に
チャレンジ
！

上がった
持ち上がった
すごい
力です！
オー！
グググ

あと
一メートル…
ゴール！
総額
78万円で
いっきに
トップ！
780000
ズズ
ゴール

すごい
わね
この人！
すさまじい
戦いだ…

最後は
Dチーム
です！

家電品や
軽自動車には
目もくれず
いきなり
ポルシェに
むかいました

なんて
欲の深い
やつだ
無謀ね！

R・R（リヤエンジン・リヤドライブ）だから
前部は意外に
軽いはずだ！
ガッ

ぬおおおおお
おお
持ち上がった
グ
グ

すごい
力ですっ
ゴールすれば
トップは
間違い
なし！

ばか
やろう
これからが
本番だ！

おお
なんと
家電品にも
手を
出してます

ななんて
やつだ…
人間わざじゃ
ないわね

ビデオカメラを
ありったけ
首にかけて…
ガチャ

時計
電子手帳などを
ポケットに
つめて…
片手で
持てるだけ
持とう!

ビデオデッキは
足に
はさんで…と
ガシッ

すごい
足の指にも
カメラ5台
ぶらさげて
います!

両手が
つかえりゃ
もっといっぱい
持てるんだが…
グググ
車が…

最後の
手段!!
ガギッ

こ
これは!?
なんと

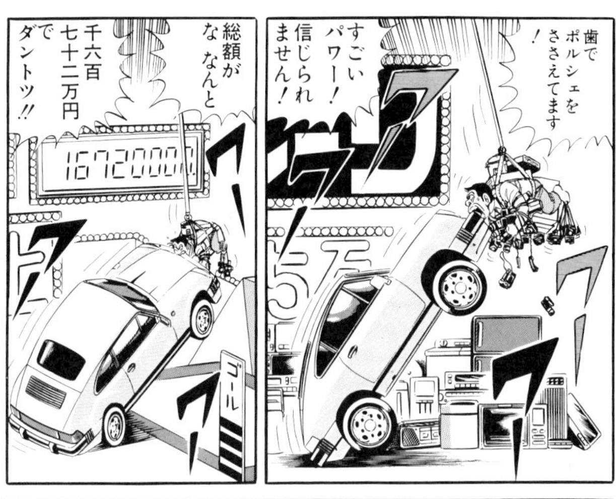
歯でポルシェをささえてます！
すごいパワー！信じられません！
総額がな なんと千六百七十二万円でダントツ!!
16720000
ゴール

拍手に応えてグルグル回っています
チャンピオンまだまだ余裕があります
欲のかたまりだからなこういうのには強い！

★週刊少年ジャンプ1991年8号

親父は強かった!の巻

せっかく浅草へ来たから実家にでも寄ってみるか
もしかしてつくだ煮屋がつぶれてるかもしれんな
シャーー

おや!?
よろず屋
ガヤ
ガヤガヤ

わしの家の前に人が集まっているぞ
おやじたち生活苦で自殺したんじゃないだろうな!

ちょいと ごめんよ
中を 通してくれ

おーい おやじ 生きてるか

なんだね!?
ガラ
あっ!?

なんだ お前!?
この家の 主人だが!

どうかしたの 父さん?
お巡りさんが 突然来てね
宮沢(みやざわ)えりが!?
あっ

アイドルが なぜこんなに わしの家に いるんだ?
なんです 一体?
ゾロゾロ
さあ?

家を 間違え たかな?
何か あったん ですか!?

テレビドラマで
わしの実家を
使っている
だと!?
聞いて
なかったん
ですか!?

浅草のつくだ煮屋が
舞台になってる
ドラマなんです
ご主人には
ちゃんと
了解を
とってます
べらぼうめ

さっきの男は
加山勇三か!
どこかで
見たと
思ったよ
みんな
役者さん
ですよ

部屋の中は
ライトだらけだな
ほとんど
そのまま
使ってます
映画などでも
住人の了解を
もらって 自宅を
撮影に使う
ケースも
あるんです
よりによって
わしの家とは

主人公が女の子ですのでこの部屋を改装させてもらいました
ありゃわしの部屋が!

このお巡りさんの部屋なんですか?
そうだよえりちゃん

ドラマで使わせていただきます
ペコリ
ははは
いや別にかまわんよ

しかしこんなきったねえ家使い物にならんだろ!
ロケハンしてここがイメージ通りだったんです

柱ひとつにしても人のぬくもりが感じられいい家ですよ
そうかい?

わしにはただのきたない柱にしか見えん
頭ぶつけてよく泣いたイメージしかないな!

ところでおやじたちはどこへ行ったんだ!
撮影に一か月くらい使わせていただく予定なんです

その間は浅草のホテルにお泊まりしてもらってます
ホテル暮らしかよ生意気に
勝手にそんな事決めやがって!
キャーキャー!

少年組の錦くんのサインちょうだい
な!なんだ!
宮沢えりちゃんに会わせてくれ

わしは関係者じゃない!
この家の住人だ!あっちいけ!

家族全員売れっ子タレントばかり…
そんな下町の家庭など存在しないぞ!まったく!

浅草 ビューティーホテル

両津様でしたらスペシャルスイートにお泊まりです！
本当かよ！

ご案内いたします
ネコに小判だぞ！もったいねぇ！

おっ勘吉
すごい部屋だ!!

実家に行ったのか？
そんな理由でここで暮らしてるわけだよ！
完全に場違いだぞおやじたちにゃ！

なんでゆかに座ってるんだよ
イスはどうもなれなくてな！

※丙＝昔の成績表の採点で、甲乙丙の順。丙はよくない。

どうぞ
ごゆっくり
どうも
ごくろう
様です
ペコッ

そんなに
ペコペコ
しなくても
いいだろう!
普通に
してろよ!
相手が
背広を
着てると
つい
緊張して

年寄りに
こんな豪華な
料理なんか
食べきれるのか
どうも
洋食は
苦手でね

わしが少し
食ってやるよ
いやあ
たすかる
よ!

おやじがドラマで
家をかすなんて
よくひきうけたな
その
脚本家の
山本総一とは
幼なじみ
なんだ!

浅草が舞台の
ホームドラマで
どうもオレの家を
イメージして
書いたらしいんだ
そういう
理由じゃ
しょうがない
な!

山本総一!?
若者に人気ある
脚本家だぞ
そりゃ!
そう
らしいな!

母ちゃん そんな所 ふかなくて いいんだよ
じっと してても ヒマだから ね!
勝手に そうじ するな まったく

ホテルに 詳しい お前に ひとつ聞いて いいか?
なんだよ!

このテレビ 100円入れる所が ついてないんだ
タダ なんだよ! スイート ルームで 金など とるかよ!
チャンネル案内

母ちゃん いいんだよ 食器は 洗わなくて
え? いいの かい?
ザザ

ねまきを 洗濯して まずかった かね!
自分家じゃ ないんだって ここは!

お願いだから 2人とも ここで じっとしてて くれ!
しかし…

和食が食べたくなったな
ほんとだね

じゃすしでもとるか?
えっすしを!
ホテルでかい!?

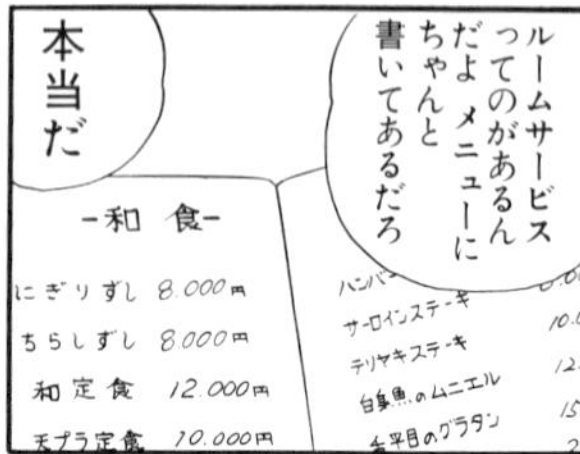
ルームサービスってのがあるんだよ メニューにちゃんと書いてあるだろ
本当だ
-和食-
にぎりずし 8.000円
ちらしずし 8.000円
和定食 12.000円
天プラ定食 10.000円
サーロインステーキ
テリヤキステーキ
白身魚のムニエル

おそろしく高いな…
ホテルだからしょうがない!
-和食-

ピンポーン
おっだれか来た

元気でやってるかい!
おお山本か!

銀ちゃん悪いけどもう一週間撮影がのびそうなんだ
そうか!でもしょうがないものな

ひょっとしてこちらは?
せがれの勘吉だよ
こりゃどうも!
おうわさは聞いてますよ 今回 家をおかりしてすみません!
けっこうですよ
あんなボロ家!
ホテルのルームサービスを 注文してもいいですよね
もちろんですとも! 自由に使って下さい
おやじたち値段にびびって注文できないんですよ
はは なるほど!
ピッ
今回は大手スポンサーがつき テレビ局も力を入れてるドラマなんだよ
いくら経費がかかっても心配いらんよ! 遠慮するな!
営業権手当も毎日10万円ずつ支給されるし!
なんだって
おやじ! こんな生活して金までとる気かよ
銀さんも仕事を中断するんですから当然ですよ

いいドラマはいくらお金をかけてもとり戻せますからね
ははは
あんなママゴトみたいな店でも営業権なんてあるのか!
先生時間が!
勘吉さんもどうぞごゆっくり!
どうもすいませんね!
いい人だなあの人は!
あの人の脚本のおかげで大名暮らしができるんだからな
そうと決まりゃ早速注文しよう!
101号室上ずしを10人前ね
こら!勘吉
刺身のおいしい所も盛りあわせでよろしく!
なんて事するんだ!
こら!
なんだよ一体!
お前今10人前と言ったろ!10人前と言ったら…

8万円だよ とうちゃん
そうだ 8万だぞ
つくだ煮 売って8万円 かせぐのは どのくらい 大変か…
落ちつけ オヤジ!
ガン

8万8万って 騒ぐなよ! みっともないな まったく!
だれが その8万を 出すかが 問題なんだよ! 山本総一が出すわけじゃ ないんだぞ!

ドラマの制作費は テレビ局のスポンサーが 出すんだろ! わかるか!?
スポンサーと 言ったら 大企業だろ! 大金持ちの!
たとえば 宣伝費ゼロでやった場合 ほとんど税金で持ってかれる
50%
50%
もうけ 50%
税金 50%
宣伝 (経費)50%
25%
25%
もうけ 75%
税金 25%
売り上げの半分を宣伝の必要経費 として使えば税金も下がり 宣伝も出来るから CMやった方がとくなんだ!

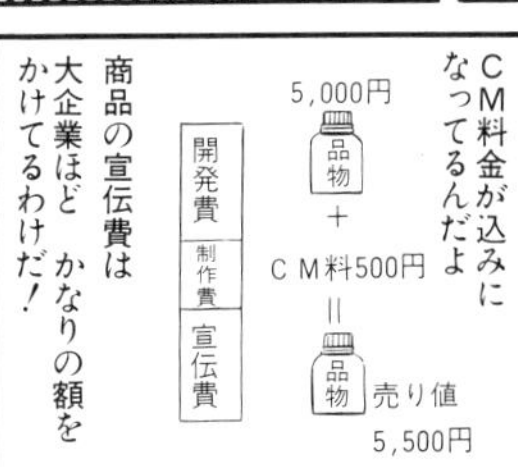
品物には ほとんど CM料金が込みに なってるんだよ
5,000円
品物
+
CM料500円
=
品物
売り値 5,500円
開発費
制作費
宣伝費
商品の宣伝費は 大企業ほど かなりの額を かけてるわけだ!

「金の動く所に税あり」 日本はこのような仕組みに なってるから CMなどに 巨額をかけるわけだ!
どうせ税金に とられるなら CM作ったり スポンサーになった方 が100倍得でしょう!

今日は福神漬けがよく売れたとか目先の事ばかりで計算してはだめ!
もっと大きな視野で物事を見ればスポンサーにとって・・・8万円がいかに微々たる数字かわかるはずだ!
企業が銀行に一億円あずけると利子だけで年間800万円だよ! 個人レベルとは比較にならんだろ!
もっと日本経済を勉強しないと! おやじも!!
勘吉大人になったね
すごいな!
だてに警官をやってないな! お前
酒をたのむよナポレオンとレミーマルタン
ボトルで持って来てボトルで!
金に関してはちょっとうるさい男だよわたしは
勘吉ボトルだと20万だぞ!!
バチ当たりな事するんじゃないよ!
レミーマルタン
ナポレオン
ジョニ黒
ホッピー
カストリ
200.000
80.000
50.000
5.000
300
まだわからんのか!
どこまで貧乏人根性がしみついてんだ! まったく!
大脚本家が外国ロケしたいと言ったらスタッフなど含め旅費だけでもなん百万だ!
全員のホテル代から食事代など長期ロケだとなん千万円もかかるんだぞ!

それを下町のあんなボロ家でタダ同然で撮影するんだ
制作費が余って余ってこまるくらいだ!

その余ったお金を 家を提供した者が使ってやるのが人の道ってもんだろ!
わけがわからずなくなるよりわしらがしっかり使ってやった方がプロデューサーもよろこぶ!

なるほどしっかりした考え方だね父ちゃん!
よくわからんがとにかく使った方がいいみたいだな

でも3人じゃ食べきれないよね
となりの源さんたちもよぶか?

勘吉源さんたちよんでいいか?
いいね大勢のが楽しい!

じゃ婦人会の人たちもよんでいいかね!
もちろんだよ!部屋が広いんだからジャンジャンよぼう

わはは実に豪気だね
わははははは
がははは
徳さんカラオケいこう!
わははは
18番スーダラ節をひとつ!

何!?ホテルの倉庫にもう酒がない?
がはは
両さんおれん家酒屋だから大丈夫!
そりゃいい!領収書全部ホテルあてにしてくれ
うおお
おい!主人だ!店の酒全部持ってこい!
失礼しまーす
ガラガラ
ガラガラ
101号室だぞ
なんだねあの人たちは?
スペシャルスイートのお客様の注文です…
ルームサービス料金だけで800万円だと!!
パーティー並の規模だな…
ウイスキー500本到着!
ズラッ
ウオー!
やったあ
これで朝まで飲めるぞ
ワー!

その日から101号室は宴会場と化し
従業員からは悪魔の101号室と
おそれられ 豪遊は一ヵ月以上に及んだ
ワハハハ
浅草ビューティーホテル

ホテルの料金が一億七千万円もかかったんですか!!
なん十人も入れかわりたちかわりだからな
さすがにプロデューサーも泣いてたぞ
制作費より高くついたでしょうね

おかげでおやじたちにリッチな生活を教える事ができた
ははは
リッチというより無謀な生活よ!

浅草物語 視聴率
べらぼうめ 55%記録
ドラマは放映と同時に大ヒットとなり 3回目で視聴率は驚異の55%を記録した

ロケ地に使われた浅草の実家も連日 日本各地からファンが訪れた
よろず屋

ここが宮沢えりがいる部屋か!
すごいなあ
立入禁止

ドラマに出たつくだ煮とロケ中の生写真バッジもあるよ
佃煮 500円
バッジ
ちょうだい!!
私も!

くそ!きたね——っ
おやじのやつめ!

すごいヒットねあのドラマをみんな特集してるわ
まさかこんなに当たるとは思わなかった
一億七千万円はかるく元はとったみたいですね
店のグッズもすごい売り上げみたいですよ
みんなわしがノウハウをおやじに教えたんだよ!
もうかったら半分やるとか言ってたくせに!
一円もよこさないんだぞ!そんなのアリか!

こないだおやじの所へ行ったら馬券買いに行く所でよ
ポケットから百万円のたばをのぞかせて…

「人生 チャンスを生かさないとだめだぞ!」とぬかしやがるんだ!
全部わしの力なのに!くそ!

今回はお父さんに負けましたね
くやしいな!なんとかみかえす方法は…

ん!そうか!
この手があった!

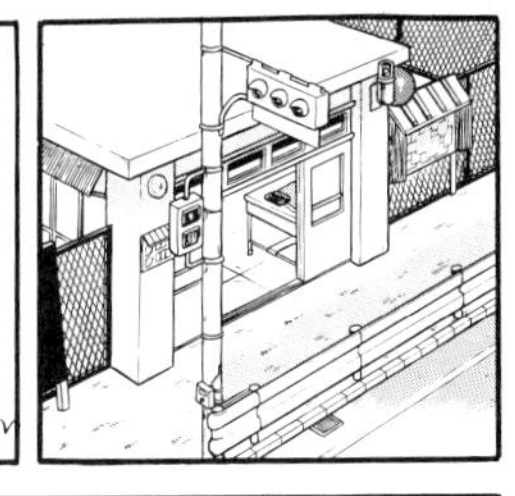

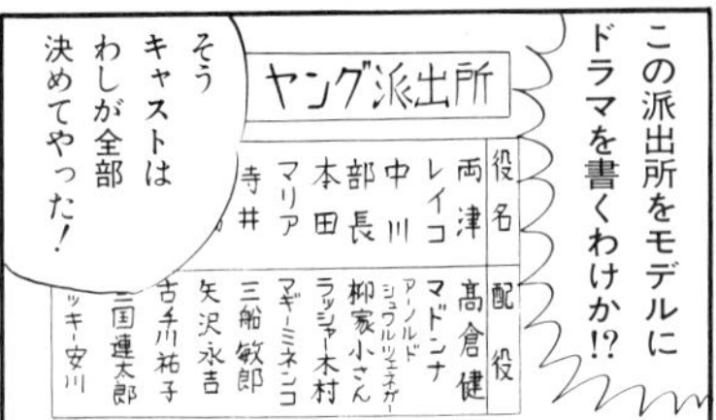
この派出所をモデルにドラマを書くわけか!?
ヤング派出所
役名 配役
両津 高倉健
レイコ マドンナ
中川 アーノルドシュワルツェネッガー
部長 柳家小さん
本田 ラッシャー木村
マリア マギー・ミネンコ
寺井 三船敏郎
矢沢永吉
古手川祐子
そう キャストはわしが全部決めてやった!

絶対に当たる!なんならわしが脚本のアドバイスもしてやるぞ!
このキャストでドラマを作るのか…難しいなうーん…
あれじゃ当たるとは思えないな
ヤング派出所 キャスト表

★週刊少年ジャンプ1990年42号

盤上の熱き舞い!
の巻

ガオオオム

はい

そう
来たか
なるほど
ズズ…

あっ

グググ
うおっ

ばかもの！
駒がバラバラになったぞ！
すいません！
ブレーキはよせ！

マグネット式だといいんですけどね
元にもどすのは大変なんだぞ

両面テープでも買ってくりゃよかったな
駒が新しいからよくすべる！

よし王手！

信号で止まるまで待って下さい
中川だぞ！早くしろ！

男の勝負に待ったはない！
あいた
早く！

危ないですって！
ちょっと離して！

パパアアア
パァ
うわ!!

あぶねえぞバカ!

急ハンドルはよせと言ったろ!
やはり運転中は危険ですよ
不器用なやつだ! どけ!
わしがかわる!

先輩免許証持ってるんですか!?
当然だろ!
ブォン
ブォオン
ゴキ

ギャギャ
ギャギャ

けっこう
ジャジャ馬だな
この車！
あ——あ
また
バラバラに
なっちゃった

じゃ
ここに
歩をうちます
先輩の
番です

なるほど
その手が
あったか
先輩
前見て
前!!

やかましい
だまれ！

これで
決まり！
3四
金だ！

きゃあ
なんなの?
車が飛びこんで来たんだ!

あっ圭ちゃん達!?
ゴホゴホ
悪い悪い

部長はいるのか!?
ダッ
まだ来てないわよ
よかったバレなくて
よくないよメチャクチャだよ

3四金で
王手だぞ
中川の番だ
もう
負けで
いいですよ

何事も
なかったよう
後始末
しとけよ
いつも
しりぬぐい
ばかりだ!

ジャーン
見ろ
高級
将棋盤
セットを
買って来た

これで
昼休みの
将棋が
リッチに
できるぞ
遊ぶ事には
お金を
かけるなあ

亀有公園

つめが
あまいな
寺井
わかっちゃ
ないよ!
じゃあ
こうしよう
パチーン

なんと
バカな
手を!
あー
もう!
見ちゃ
いられん

見てるなら
もう少し
しずかに
しててよ！
わしの
将棋盤
だぞ
早く終了
させろよ！

勝ち抜き
ですから
ね…
うーむ
もう一台
買えば
よかった！

そうだ
いい事が
ある！
四面使えば
出来る！
これで
やるんですか
古い駒を
使って4人で
やろう！

紙の将棋盤
使って別に
やりましょうよ
だめだ
この盤を
使いたい
！
麗子から
左回り
だ
私から
!?

じゃあ
はい！
あ！

きたねぇな
いきなり
桂馬を
とるなよ
だって
目の前に
あるんだ
もの！

じゃあ
わしも
寺井の
やつを
あっ
桂馬を
パチッ

じゃあ
ぼくも
中川のを
あっ
パチ

仕方ない！
ぼくも
麗子さんの
桂馬を！
パチッ
あっ
とられ
ちゃった

まさか
グルリ回って
くるなんて
因果応報だ
自分が
とるから
悪いんだぞ

白熱した
戦いに
なってきたな
左右からも
敵が来るから
大変ですよ

両さんに
王手！
あっ
くそ！
パチッ

ぼくも
先輩に
王手！
おい
こら
パチッ

じゃあ
私も
王手！
いい
加減に
しろ！
パチッ

3人で王手を
するな！
3人がかりは
ずるいぞ
トリプル
だって…

じゃあ
王様は
逃げる！
あっ！

あそこに
逃げられると
完璧な守りだ
鉄のカーテン
だからな！
もう王手など
させんぞ！

寺井さん
これで
つみ！
あ——
負けた
パチッ

さっそく
寺井の
飛車
いただき！
あ——っ
パチッ

ひどい!もう動けないのに
だからこそいただくんだよ

麗子さん王手!
あっ
パチッ

じゃあこっちへ行くわ!
そう来たか
パチ

寺井の角いただき!
パチッ
先輩だけマイペースで死んだ駒を集めている
ハイエナみたいな人ね…

ついに負けたあ!
これで麗子と一騎うちだ!

飛車 角を4枚ずつ持っていれば勝ち同様だよ!
だまれ!
これはわしの実力で手に入れた品だ!!
集めすぎだよ!

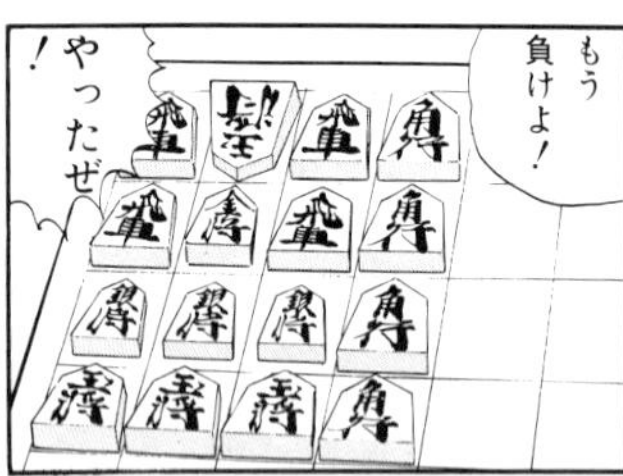
もう負けよ!
やったぜ!

両津さん全員打倒!
やったあ

サバイバル戦じゃ勝ち目ないよ!
あっ部長さん
なんの話だ

先輩がまた将棋にこり出して……
将棋だと

私はゲームの天才だね
相手が弱すぎてまいるよ!

そうだ部長も将棋できましたね
私と勝負しますか?

よし!相手になろう
ようし手かげんしませんからね!

部長!
ちょっと両津の目を覚ましてやるよ

これで終わりだ
パチーン
ぬおっ

くそ! 4連敗だ!
ははは なん度やっても同じだと言ったろ!
ドギャ

もう一度 今度が最後!
ムダな事だ!

お前はわしに勝つ事ができん!
な なぜですか?

わしは いつも十手も二十手もなん通りにも先を読む
だからどんな手でせめられてもびくともしない!

しかしお前にはそれがない
まったく先を読まん! 行き当たりばったりだ!

その場その場をただ逃げて回るだけなんの計算もない！
お前の人生がそのまま駒に出ておる！
人生でもちゃんと先を読み行動せんといかん！
やみくもに動き回る姿はまさにお前の生き方だ！
私と互角に戦うにはあと100年は修行せんとな！
ははは
部長はアマチュア六段ですよ…
ただのゲームなのに人の人生までケチつけやがって〜〜〜
くやしい！
もっと強くなりたい！
ドンガ
なんとか部長に勝ちたい！
ガン
ガン
ガン
くそ—どうやったら強くなるんだあ！
そうだ棋士の先生に習おう！
プロなら部長より強いはずだ！

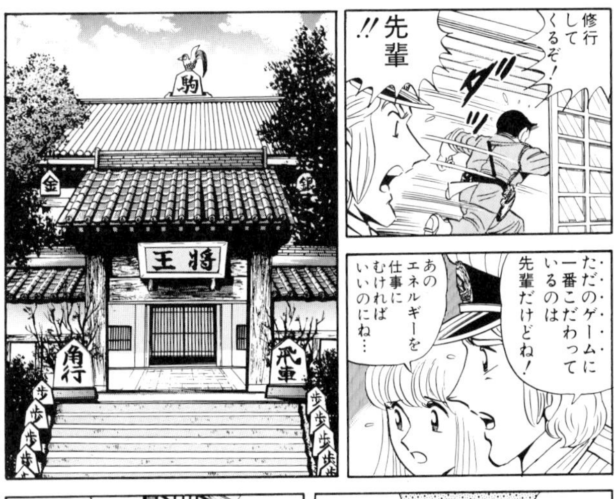
修行してくるぞ!
ダッ
先輩!!
ただの・・・ゲーム・・・に一番こだわっているのは先輩だけどね!
あのエネルギーを仕事にむければいいのにね…
駒
王将
金
銀
角行
飛車
歩

強くなりたいだと…
10年はかかるぞ

とにかく時間がないんです
一週間で強くなれませんか!!

一週間か難しいな
そこをなんとか先生!!

やる気があればなんとかなるだろ！
ペコ
ペコ
はは～～っ
私 なんでもしますからよろしく！おねがいします

まず便所そうじしなさい
えっ？

弟子になるにはそのくらい当然だ！
すべてが修行だ！

これも部長に勝つためだ！
ゴシ
ゴシ
ゴシ
我慢我慢

先生！終わりました
うむ

次は子守と買い物だ！
ふぎゃあ

これが将棋とどうつながるんだ
バフ
グイ
くそ！我慢！我慢！

終わりました先生！
うむ

それではこの将棋盤を…
やった！

布でピカピカにみがく事！3時間かけて！
道具を大切にする心が大事だ

なんかムダな労力を使ってる気がする
だんだん我慢できなくなってきた

どうだ
全部みがけたか？
ガラ

なに！
こ…これは…

駒にまでこんな事を……
なんと辛抱のない男だ…
バカ
アホ
はやまった事をしたかな?
これで教えてもらう事ができなくなった…
もはや残された手は…
・・・あの手だけだ…
部長!王手!
パチッ
ははは そこは角がきいている
あっ 角の位置が…
ずれてますよ 部長

おかしいな 確かそこに置いたはず…
しっかりして下さいよ
さっきから位置がおかしいわね
・・・動いてるんだよ

ほら
ズズッ
あ

はい
角を
いただき
パチッ
そんな
所に
飛車が
うーむ
見落として
いたのか？

先輩 左手
見せて下さい
えっ！
何を
言い出す
んだ 君

両津
何を
持ってる
いや その

あっ
磁石!!

駒にも磁石を
うめこんで
下から動かして
いたのか…
えっ
本当に!?
偶然
ぼくの手に
入ってたんだ！
誰が作ったの
かなあ？
サギまがいの
やり方も
お前の生き方
そのまま
だぞ！

★週刊少年ジャンプ1991年６号

世界初の蒸気機関車のスピードレースを私の西急鉄道の主催で行う！
鉄道王・高田二三彦
蒸気機関車
スピ…レース
当日は我が社の技術の集大成である復刻版の蒸気機関車が出る予定だ！ぜひ見てくれ!!
優勝チームには賞金なんと10億円！
これがすごい！
10億円
10億と聞いて出場しない手はない！
先輩！図面のチェックを！

自動で石炭をくべられてフレームもアルミを多く使いますので速いですよ！
うむイメージ通りだピッチを上げて早く作れ！
中川さんに5億の予算で汽車を作らせて賞金の半分で経費払って残り5億円をもらうんですって
すごい額の皮算用ね！

激走機関車レースの巻

ROCKY MOUNTAIN
激走機関車レースの巻

西急鉄道本社

ガシュ
ガシュ
ガシュ

わしが社長の高田二三彦だァ!!

社長の
お召し列車の
お通りだぞ!
ボオオオ
ガシュッ
ガシュッ
社長
おはよう
ございます!
おはよう
ございます
!
ガシュ
ガシュ

わしの
機関車は
完成したか
!?
ちょっと
私たち
には…

常務
出てこい!
ボオオオ

はい!
社長!
ただ今!
ガシュ
ガシュ
ガシュ

うお
ボオオ

これが
進行表
です!
ゴホ
ゴホ
まだ運転が
未熟だ!

なん
だと!
あと
2週間も
かかるだと
!!

車両課長
出てこい!

はい
社長
ガシュ
ガシュ
ガシュ
ガシュ
サルに運転させるんじゃない!
ひっ
すみません
…
レースは来月なんだぞ!
一週間以内に完成させろ!
は…はい
わかりました
うっ
またゲリが!
早くしろ
トイレだ!!
はい
ただ今
!
ウイイイーン
ガシャ
トイレ

トイレへ超特急だいそげ!
ガシュ
ガシュ
ガシュ
ガシュ
社長の鉄道マニアぶりにもこまったものだ

あと一時間でスタートになります
出場者はならし運転を中止して高田二三彦駅にお集まり下さい
廃線の鉄道を買いとってレール幅を統一しレース場にするとはすごい発想だな
西急鉄道と連結させてあるから便利だよ!

先輩 そろそろ乗車して下さい!
わかった わかった
世界中から鉄道マニアが集まってますね 先輩
なにせ 10億だからな
自分が主催し 自分で出場して 優勝してしまい 賞金を出さないという事が なん度もあるからな!
どんな手段を使っても勝つというそうとうきたない社長だぞ
西急鉄道の高田社長には気をつけた方がいい
高田社長の機関車が来たぞ!!
うおっ あれは
ROCKY MOUNTAIN
3975

ガッ ガッ ガッ
シュ シュ シュ
ビッグボーイだ
ガヤ
ガヤ

ボオオオオ
東京からやっと到着したぞがははは

参加者のみなさん正々堂々と戦おうじゃないか!

動輪が24個の世界最大の機関車ですね!
わしらのチャレンジャーより でかい!

これが社長の愛車か!!
ガシュ
ガシュ
ガシュ
ガシュ
N PACIFIC
4444
ガヤ
ガヤ
オー
あっ
ウイイイーン
エアロパーツを使うなんてずるい!
ガヤ
ガヤ
やかましい わしが主催だ! 文句あるか!?
上等だよ! それでこそ負かしがいがある!
乗車しましょう

スタート!!
ゴオオォォ
初めから全開で行け!とばせ!!
えっなぜ!?
線路をよく見ろ!
あっ
いきなり合流だ!!
ガタン ガタン ガタン

よし 先に入った
ザシュ ザシュ
うわ
うわ
ドガガッ

ゴオオオオオ
ガタン
ガタン
うわ
16本の線路が合流でいきなり8本になる早い者勝ちだ!
生存競争がすごいですね!
おそい機関車はどけっ!
参加する資格はない!
ゴオオオ
ガッ

すさまじいレースだ
一気に8両になってしまった…
ゴオオオ
ゴオオ

ゴオオオオ
また合流だ!!
むっ! 速い! むこうは高速型の機関車だ!!
ガ
ゴゴ
うわ
チャレンジャーのがたいの大きさに救われましたね
どんどん自然淘汰されるな!
社長!! 追いつかれました!!
ゴオオオオ
なに!!

うぬ
ぬかれた
!
ガシュ
ガシュ
ガシュ

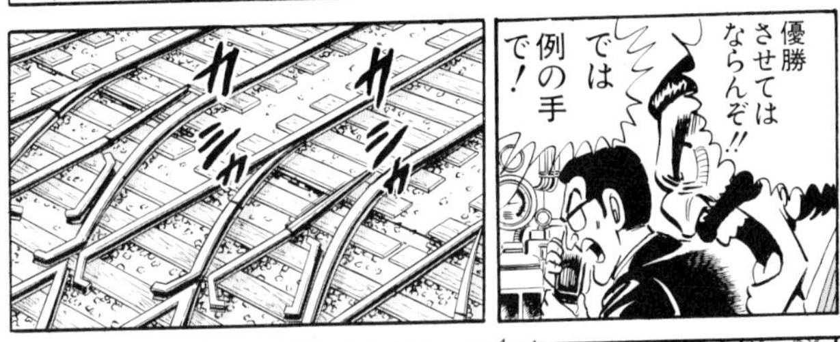

優勝させてはならんぞ!!
では例の手で!
ガシャ
ガシャ

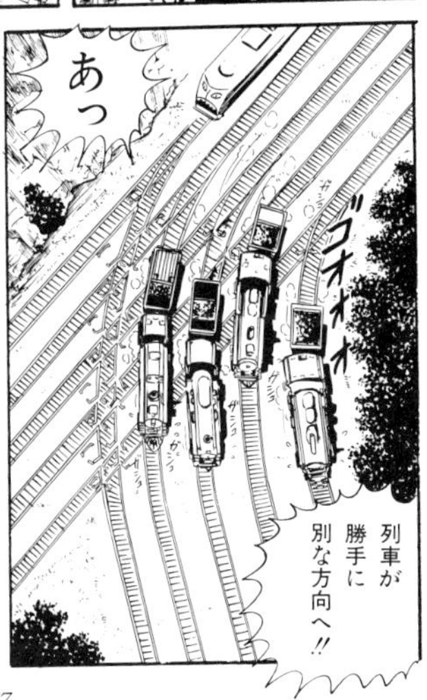

あっ
ゴオオオ
列車が勝手に別な方向へ!!

うわあ
ガシュ
ガシュ
ガシュ
レールがない

うわ
ガラガラ
ガケだ！
あ！
ざまあみろ！
私をぬかすからそういう目にあうんだ！
うわあ
ゴオオオ
ひえっ
レールが！
ゴオオオオオ
ガタンガタン
うわっ!!
ゴオオオ
ぶつかる！

うわ
シャトル
ループに
!
ガシッ
ガシッ
ひえっ
ガシャ
小細工
しやがっ
て!
先輩
!
前は
カベです!!
ぬお!
ゴオオオオ
フル
ブレーキ
!
ギギギギィ
あぶない
所だった
もう少しで
激突
ですね!
これで
よし!

ゴオオオオ
線路がなければだれも追ってこれん

あっレールがない!?
ギギギイ

なんて事を!
なっ言った通りだろ!

その手はあると思って

硬質ゴムのレールを用意してきた
さすが先輩読みが深い!
ゴロゴロ

わはは単独勝利だな!
歯ごたえのない参加者だった!

どっこい まだ残ってるぞ!
ぬおっなんと!?
ガタン
ガタン
ガタン

奥の手を使え！
はい！
先輩見て下さい！

さらばだ!!
あっきたねえ！

わははは
リニアモーター機関車だ!
時速500キロじゃもう追いつけまい!
あまい!
どうせそんな事だと思っていた!
時速500キロなど目じゃない!
こっちはロケットエンジンだぞ!

中川!シートベルトをつけろ!
本当にやる気ですか?

絶対に勝たねばならん!
GO
パチ

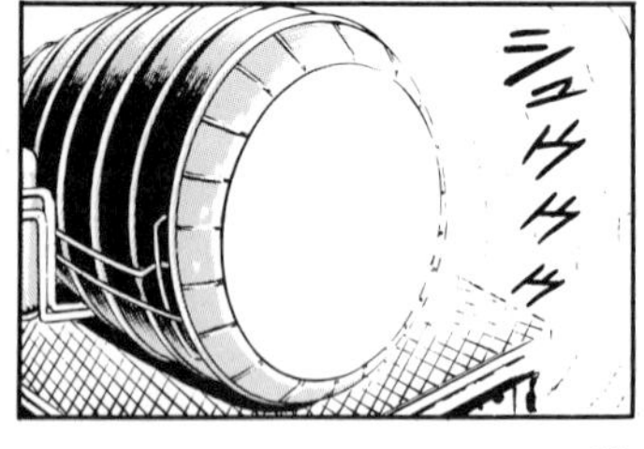
シュゥゥゥゥ

ドドドドドドドドド
ぎゃああああ

キイイイイイン
ぬおっ!?
火の玉が!?

ドガッ
ぎゃあ

まいった!
わしが悪かった!
あんたの勝ちだ!
賞金をやるから
かんべんしてくれ!
やった!
10億円
いただき!
優勝したぞ
中川!
これは もう
機関車レースじゃ
ありませんよ

★週刊少年ジャンプ1990年44号

星に願いを！の巻

何見てんだよ!

今夜はずいぶん星がきれいだと思ってね

星なんかどうでもいいよバカ
さっさと夜食を作れよ!
まったくだ

のんきに星なんぞ見やがって!

あっUFOだ!?
ユーフォー

なんだと！
ほら両津あそこ

3機ならんでるぞ！

ありゃオリオン座の三つ星だよ
えっ!?

光ったり消えたりしてたぞ！
空気のかげんでまたたいて見えるだけだ

あの明るいやつは？

どのやつだ？
さっきの三つ星の下の方！

シリウスだ！一番光ってるやつだろ
シリウス？

冬の大三角形のひとつだよ!三角の形になってるだろ!
え?どこが

何も知らんやつだなちょっとこい

ここに さっきのオリオン座があるだろう
こんなつづみ形しててよ!

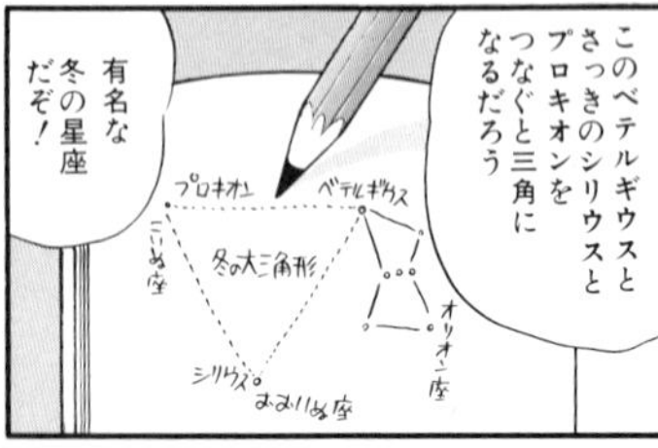
このベテルギウスとさっきのシリウスとプロキオンをつなぐと三角になるだろう
有名な冬の星座だぞ!
プロキオン
ベテルギウス
こいぬ座
冬の大三角形
オリオン座
シリウス
おおいぬ座

こうなっていたかな?
本物とくらべてみろ

ほら!
本当だ

両さんくわしいじゃないか!
小学校のころ習っただろ忘れたのか?

よく冬の星座ですばるってきくけど？
すばる!?

おうし座のひとつだよ！
ズズ
今見えるかな？ね!?

うるさいやつだな！
ガタッ

あれだ！あのボヤッとしたやつ！
へえ！あれか

はらへって目が回りそうだよこっちは

北斗七星ってどれかな両さん
自分でさがせよまったく！

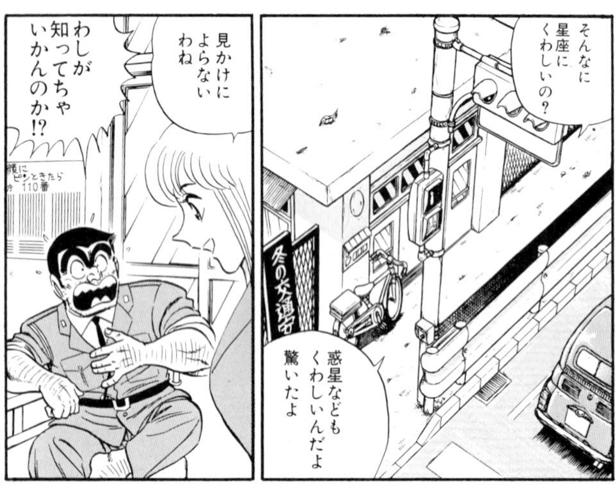
そんなに星座にくわしいの?
惑星などもくわしいんだよ驚いたよ
見かけによらないわね
わしが知ってちゃいかんのか!?
冬の交通安

北極星は地球からどのくらい離れてるかわかりますか
1100光年だろ
アルフェラッツを頂点に並ぶ星雲は?
アンドロメダだよ

当たってる
くわしいわね!
そんなもの覚える頭があるなら国語の漢字をひとつでも多く覚えろ
大きなお世話ですよ!

星座とか
好きだったん
ですか…
別に!
小学生のころ
習ったのを
覚えてる
だけだぞ

理科はわりと
好きだった
からな
実験とか
楽しかった
しな!
NAKO
SEIABŌ

担任が　わりと
そういうの好きでな
天体望遠鏡を
自分で買って
生徒のわしらに
よく見せてくれてたな
それで
覚えたん
ですか?

東京の
きたない空で
よく観測が
できるね
両津は
きたなさに
強いからな

昼でも
星が
見えるから
すごいよ
日が
かたむけば
誰でも
見えるよ

あそこに
うすく
見えるのが
金星だよ
えっ

どこ
ですか?
あの
ビルの
下の方だよ

よく見えるわね！
バカのわりに目だけは人の10倍だからな

すごいですね！先輩！
そ…
そうかな？
はは

天文学者になれるかも知れないわよ！
そんなえらくなれるかな！

本格的に勉強してみようかな
ははは
いいと思うわよ

天体望遠鏡を買ってこよう

すぐ調子に乗るやつだ
こり性だからな

さすが長野県だ星がよく見える
かなりひえてきましたね

これで10日目か先輩もよく続くな!
リーリー
リー

彗星が見えるぞ
えっ

今の時期に彗星なんか来るんですか?
変な色してるぞ見てみろ

カシオペアの下の方だ!
何も見えませんが…

そうとう
暗い星
ですよ
発見
されてない
彗星
だったら
すごいぞ

天文台に
行って
くわしく
調べて
もらおう
はい!

うーむ
なるほど
どうだ?

初めて見る
星だ
おそらく
新発見だと
思う
やった
新彗星
だ!!

教授!一刻も早く申請してくれ!

わ…わかった

新彗星発見は毎年5～10個あるが
7色に輝く不気味な彗星は初めてで
そのニュースは世界に流れた
両津彗星
七色の彗星!?
謎の新彗星発
星の成分は不明
中心核が不明!?
両津彗星
NEWS TIMES (日本字新聞)
1990Si
「両津彗星」発見
二酸化炭素や アンモニア以外の物質

すごい反響ね
学者達も首をひねってるらしいよ

前例のないかわった彗星らしいですよ
どんどん太陽に近づいて来るのか? 不安だな

冗談じゃないよ!
あっ先輩

世界中のアマチュア天文家達がわしの彗星を・・・ジロジロ見やがって
まったく!

わしがとった最新の「両津彗星」だ！

まぁきれい
七色に輝いてすばらしいだろ…

週刊誌にカラーで載ってますよ
なに！

どこの出版社だ！訴えてやるぞ
おいおい！そこまで！
FRIDES
フライデス

あの彗星は私が発見した私の物なんですよ！
人の物を勝手に写真とるなんて肖像権侵害ですよ！

すべて私を通してからやってほしい！
©マークをつけないとはとんでもない話です！

外国の雑誌にも載ってますけど
なんだと！
STAR
RYOTSU COMMET

麗子
国際電話ですぐもんく言え
えっ
私が！

たかが彗星の事で…
たかがじゃありませんよ！
私なりにプロモートを考えてるんですから

まずカレンダー発売！
両津彗星のきらめきカレンダー
1991
PHOTO 両津

ぬいぐるみ
バッジ
ファミコン
CD
アルバム
メンコ
ベーゴマ

天体専門誌のインタビューをまとめた本など…
さらに講演なども用意してあります
天体観測のすべて
監修・両津勘吉
私はこうして新彗星を発見した
両津勘吉
新刊
ベストセラー間違いなし!!

これらの売り上げたお金で
さらにいい天体望遠鏡を買います

日本の新彗星発見11個の記録を
私がぬりかえるんです！

両津彗星フェア
独占販売で 商品は
売れてヒットした
'91 両津彗星カレンダー入荷しました
ポスターB 800円
ポスターA 800円
ぬい

しかし事態は大きく
かわってしまった

なに
「両津彗星」が
消滅した
だと!!
さっき
天文台から
連絡が入って!

爆発した
らしいと…
なんて
こった
!
ガーン

両津彗星の
名にふさわしい
最後だ
壮絶
ね

まったくの
原因不明
だとか
そんなもん
もう
どうでも
いい!

せっかく
売り上げも
上々だった
のに!
これで
パアか!

「爆発彗星まんじゅう」って売れないかな!?
だめだと思うわ

かなり太陽まで接近してましたよね
地球のすぐそばまで来ていたんだ!
両津彗星の動き
データ集

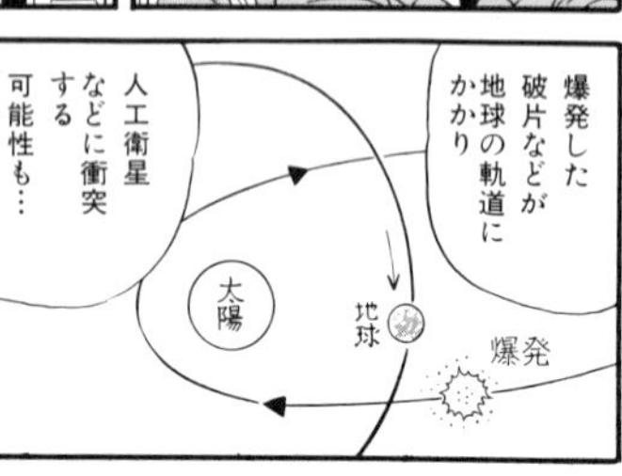
爆発した破片などが地球の軌道にかかり
人工衛星などに衝突する可能性も…
太陽
地球
爆発

いくら人工衛星がなん千個も地球の周りを回ってたってな
広い宇宙じゃなん百億分の一の確率だよ

太平洋に逃げたメダカに石を当てるようなもんだぞまず不可能だ!
わしの星が消えてしまったとは実に悲しい!

なに!
「両津彗星」はバラバラになっても生き続けていたのであった

両津彗星の破片が衛星を壊しただと!?
インテルサットが破壊されました!
たった今ランドサットからの連絡も不通になりました!
そんなバカな事が!?

なん百億分の一の確率で破片は次々に当たっていった

ぬお!?
キッ
!?うわっ
キッ
ナビコンの精度が落ちた!?
衛星の数が急にへったのか?
ピー
ピ

衛星放送用の人工衛星が壊されました!!
なんだって!?
伊集院光の「帰って恋よ!」

先日 爆発した
両津彗星の
破片が…
せっかく
打ち上げに
成功した
のに…
わしは
知らん!
無実
だあ!!
あんたの
彗星だろ
あの星は!
持ち主が
責任とる
のは
当然だ!
弁償
しろ!
弁償
しろ!
弁償!!
わ…
わかった
わしが
責任を
とるから

まいったな
なん百億分の一の
確率なのに!
先輩同様
ギャンブル運が
強いですね

隕石として
地球に落ちて来たら
大変ですよ
大気圏で
燃えつきる
はずだ!

ところが大気圏をも乗りこえ「両津彗星」の
破片は元気に突き進んで来た
地球の70％は海だが
その海に落ちず 都市を
ねらいうちにするように
ふって来た
「両津彗星」は世界中に
迷惑をかけた
先輩
今度はイタリア
から損害賠償
が…
もう
カンベン
してくれ
アメリカからも
自由の女神の
鼻がおれたとか
あんな彗星
見つけるんじゃ
なかった！
くそっ
両津と名がつく
物は すべてに
迷惑をかけるな

★週刊少年ジャンプ1991年３・４合併号

晴天ひきうけます！の巻
よねや
岩崎

もらった
カッ
キ

また
やられた!
キイイイイン
完全に
場外だ!
オリッ

わしを
うちとる
なんてのは
2億年
早いぞ!
ワッ
賞品が
かかった
勝負は
負けた
事がない!

両さん
一塁
ベースは
ここだよ!
クルッ

野球大会賞品
主催・SOMY・VICTOR
ホームラン賞の
ビデオカメラちゃん
後で もらいに
来るから
待っててね!
キンドン賞
ホームラン賞
ポン
ジャガース

これで1点追加
やったね!
3回にして
早くも5点目
!
ワ
ドズッ
さすがだね
両さん!
ワーワー
パチ
パチ
3打席
3ホームラン
なんて ちょっと
決めすぎた
かな!

今回の大会は
スポンサーつき
だからな!
いやでも張り切って
しまうよ!
ホームラン賞と
最優秀
選手賞は
両さんの物
!
大会賞品
VICTOR・SOMY

急に空が暗く
なってきたな
なに

冗談じゃないよ
こんな所で雨降ったら
試合がパーだぞ!
天気予報じゃ
一日中晴れと
言ってたぞ

まあ
5回までは
もつよ
そうすりゃ
試合成立
だから!
そういう
事だ!

ドドドド
うお

ザザザザ
すごい雨だ!
早く避難しろ!

まてこらあ

試合中にどこへ行く気だお前ら!
ザアアア
この豪雨じゃ試合は続けられんよ!
ジャガーズ

両さんムリだよこの降り方じゃ!
ここでやめたらノーゲームになるだろ!続行だ!
ザアアア

スポンサーの方から続行不可能なので この試合はなかった事にと…
なんだって!

ふざけるな
3回までの
わしの栄光は
どうなるんだ!
賞品だけでも
よこせ!!
両さん!
やめろ!
暴力は
いかん!
いたた
オックス

それは
残念
でしたね
雨のおかげで
えらい
迷惑を
かけられたよ!

また雨が
降って
きたわよ
なに!

さっきまで
晴れていたのに
くそーーっ
今日の
ナイターは
また中止に
なるな!

秋の天気は
変わりやすい
ですからね
助っ人料と
賞品で年内を
のりきる計算
だったのに
中止ばかりだ!
この雨は
死活問題に
なってくるぞ!
スケジュール帳

東京ドームで
試合出来れば
いいんです
けどね!
草野球で
そんな所
かりるの
高くて…

全員
カサさして
やるわけにも
いかんしな
やはり
テントのように
球場全体を
おおわないと

大型の
テントね
………
ん!
そうか!!

球場は
広いんですよ!
テントじゃ…
大丈夫!
わしにいい
考えがある

えっ
試合を
やる!?
この雨じゃ
ムリだよ
両さん!

え?
メンバー?
みんな集まって
いるよ!
全員!
わかった!
じゃあ
これから
荒川まで
行くよ!

雨の中でやるのかよ
よくわからんがとにかく集合しろと言ってた
ジャガース

相手チームも集まってるらしいぞ
まあとりあえず行ってみよう

ブロロロ

おい!あれはなんだ!
あ
ジャガース

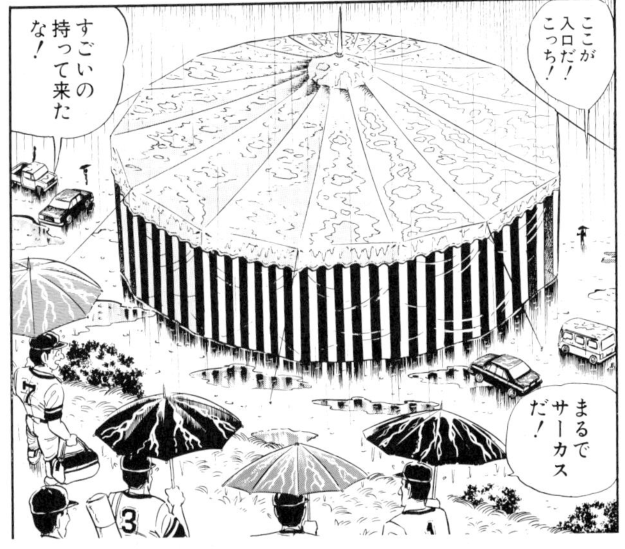
ここが入口だ!こっち!
すごいの持って来たな!
まるでサーカスだ!

試合がないと わしのバイト料 もらえんからな
サーカスで 払い下げのテントを 安く買ってきた!
よく こんな物 見つけて きたな
なるほど ちょっと せまいが 出来るかな!
では 両チームが そろった所で 始めます!
天井が低いから ボールが当たった 場所で 塁を 決めるんだ!
まるで 野球ゲーム みたいだな
ファール
ホームラン
はずれ
二塁
三塁打
打
ヒット
フェア
これがあれば 予定通り 試合を消化 できる!
もう天気の 心配は なくなったな
ドーム球場 ならではの テクニックも 使えるぞ
ジャガーズ
25

凡フライだ
あ!
ヒット
ガァン
フェア
三塁打
センターポールに!
ヒッ
後ろだ!後ろ!
ポン
なに!?
ポン
多角形打法を見たか!
今日はノーゲームにはならんぞ!
数日後
えっテントをかしてほしいだと!?
以前草野球大会で使用していたのを見てね!
ぜひわれわれのチームにもかしてほしいんだ
別にいいけど!

トラックがないと運べないぞ! 組み立ては大変だからわしがやってやるけどな!
助かりますよ! 本当に

人気がありますね これで3件目ですよ
まるでかしドーム屋だな!

かし続けてる間に本当にドーム屋を始めてしまった
レンタル料 1日5,000円
荒川ドーム
野球、サッカー ゲートボール、他に御利用下さい

組み立て 解体は力仕事で テントの修理など けっこう大変であった
レンタル料は ほとんど赤字で ボランティアに近い状態だった

雨から一転 猛暑になるケースも多く…
テントの中は むされて50度にたっする事もあった
荒川

かげろうでキャッチャーがよく見えん
ボーー

雨が入らんよう気密性を完璧にしたおかげでえらい暑さだ
クーラーをつけた方がいいんじゃないのか
バカ言え！この広さを冷やすのにクーラーなん台必要かわかってんのか！民間用クーラー40台以上だぞなん百万円もかかっちまう
そそうか…
ああと一人…うちとれば…
グググ…
だだめだ…
ドタ
あっピッチャーが！
チャンスだ森川！打て！
ズザザッ
あっこら！
倒れてる場合じゃない！打たなきゃ負けるぞ！
グイ
こう打つんだ！
カーン

いいぞ！ショートも暑さで気絶してる！
内野ぬけたぞ
森川走るんだ！
ランニングホームランにするんだ！
ダ
ッ
そうはさせんぞ
パ
ッ
バックホーム
ビ
ュ
ッ
ッ
ぬおっ元気なやつがまだ残ってやがった！
キ
やばい!!
こっちも負けんぞ!!
グ
イ
ホームへつっこめ！森川！

ドドガガッ
バシン
これでアウトか!?
セーフ! セーフ! ボール落とした
インチキだぞ ひどい!
森川は自分で走ったんだぞ わしはただコーチとしてついて行っただけだ
両さんやめてくれ! もう これは野球じゃない…

雨の中 連日使われるテントは だんだん耐久性がなくなってきた
レンタル料 1日5000円
荒川ドーム
両さん あちこちから雨もりがしているんだけど…
大丈夫! 試合終了まではわしが もたす! 心配するな!
フェア
ヒット
ヒト
ヒッ
マクドナルド

ガキーン

ゴキ
ぐわっ
あっ

メキ
メキ
うわっ
テントが
バキ
バキ
ひえぇ

バキ
バキ
ドシャッ
うわぁ
バキ
ぎええええ

ついにテントが
こわれましたか

もともと
捨てるはずの
テントだからな
元は充分
とった!
あの
テントの
おかげで
賞品だけは
全部 手に
入れたしな!
テント業は
商売には
ならなかった
みたいね

おっ いた いた!
あっ 商店街の!

なんだよ 大勢で 来やがって! 年末のボーナスまでは まだ 早いぞ!
借金の 話じゃないよ 両さん

先日の ドーム球場に ついての話だ!
えっ?

亀有全体を ドームで おおうのか?
大売り出し 期間中の 2週間だけ なんだが
ドーム地区

この所 雨が続いてる からな 雨が降ると商店街の 売り上げが3割も 落ちるんだ!
アーケードにする 計画もあるけど 金がかかってね… 低予算でやるには やはり両さんの力が 必要なんだ
範囲が 広すぎる な!

ひきうけて もらえたら 商店街の 借金は 帳消しに!
なに 本当か!

やるだけ やってみよう! 商店街の 協力も たのむぞ
よかった! 助かるよ!

一か月後「カメアリドーム商店街」は見事完成したのであった
カメアリドーム商店街
アーケードよりも規模が大きくて迫力があるな
竹とナイロンだ軽くて丈夫で柔軟性があるぞ
なるほど考えたな
室内も明るいですね
街中すべて屋根つきとは本当に便利だ
大阪
荒川ドームで暑さで苦しんだ経験を生かしクーラーも入れた
街中の電気屋が全面協力してくれた!

太陽電池を利用するから電気代はただ!
太陽が出てない時は 冷やす必要がないからな
さすがですね
カバーと骨だけというカサと同じ発想はシンプルだが 効果的であった
雨の日でもカサを持たず自宅から買い物に行ける
駅や学校までの通勤・通学にも利用され大評判であり
低コストのわりに出来がよくアイデアの勝利であった
両さんすごいよ
売り上げはあがるし住民からは感謝されるし!
警視庁
いつも言ってるだろこまった時はこの両さんに相談しなさいと
いやあさすがだよ
売り出しも あと数日という時 異変がおきた
大雪注意報だと!!
ドームがやばい!

ドームは雨には強いが雪には弱い！
中川商店街へ行け!!
はい

雪の重さでテントがしなってきた！
ギシ
ギシ
ギシ
崩れてきそうだ
ワー
ワー
キャー
怖い！
靴 ニューヨーク
古書
中古ファミコン
古書の森
白鹿
竹で各部を補強しろ！
はい！
どのくらいまでもちますかね？
わからん！かなりの重量になってるからな

うわあ！
バキ
バキ
ドドドド
ドームがやぶれた！

みんな逃げろ！
キャー
キャー
こらあずるいぞお前ら

商店会長
逃げるな！
お前は ここに
残る義務が
ある！
助けて
くれ──
「カメアリドーム商店街」は ついに
自然の力に負けたのであった
ズズズ…ン
ドドド
ドドド
うわっ
崩れた！
もう
だめだ！
バキッ
ドドド

あんな物を
作ったおかげで
街がメチャクチャに
なってしまったよ
低予算
なんだぞ！
勝手なこと
言いやがって
！
やはり
街全体のドームには
ムリがあったみたい
だな！
うどん
そば
味自慢

★週刊少年ジャンプ1990年48号

翻堕羅拳スキー合宿(前編)の巻

（前編）の巻
SPORTS
SL
TRA
MER

翻堕羅拳スキー合宿

東京駅から
30分で着く
スキー場など
あったか？
信じられ
ないわね

お金も
持って
こなかったん
ですか？
両様！
中川が
手ぶらでこいと
言ったからな

先輩
こっちです
おっ
中川！
NAKAGAWA RAIL WAY LINE
NR

エレベーターで
駅の改札に
行くのか？
そうです
全員
乗って下さい

昨年 新開設したばかりの鉄道ですからね
中川の所の私鉄で行くのか
B10 B9

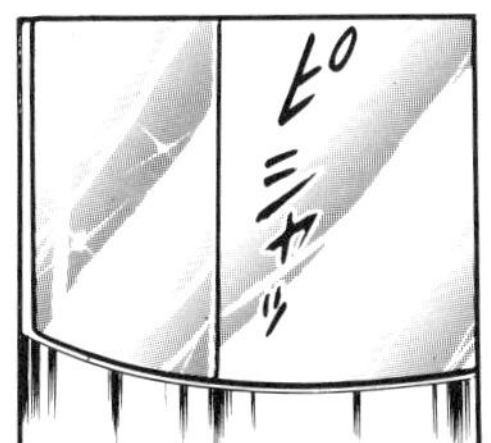
ピシャッ

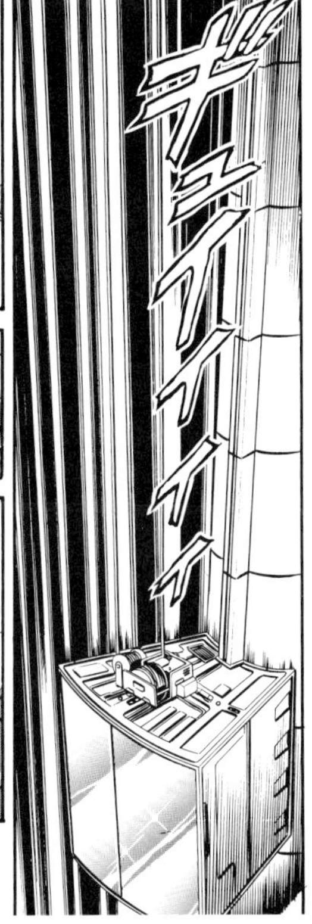
ギュイイイイイ

地下200メートルにスキー場までの直行列車の駅があるんです
上野の新幹線も地下4階から出発してるが そこよりかなり深いな!

ピッ
B10 B9 B8 B7 B6 B5 B

着きました
目の前がすぐホームです
ウイイン

なんと!!2階建て列車だ!!
SUPER EXPRESS
このエクスプレス便が4つのホームから10分おきに出発してますから
待たずにすぐ乗れるわけか!すごいな!

スーパーエクスプレスです
従来線の倍近くの乗車が可能です
一車両かり切ってますから自由に使って下さい
いやあリッチなスキーの旅だ
座席にテレビや電話までついてるぞ
ガヤ
ガヤ

おしぼりをどうぞ!
おっサンキュー

さすがサービスもいいな!
ルルルル‥‥

ゴオオ

けっこうスピード出てるな
INFORMATION
AM 9:05
ゆれないからあまりわからないな

なに!240キロだと!?
240 KM/H
えっ

300キロで巡航します
なに300キロ!?

地下だから 騒音公害もなく レールも一直線に 目的地まで敷いて あります
地上に 現れるのは わずかです だから30分で 着くんですよ
トンネルを ぬけると もう雪国 です!
中川の 財力が なせる 技だな
ビィイイイイン
服や板を 選ぶのか?
7号車が ショップに なってるん だって!
こりゃ すごいな
まるで ショッピング センター みたいだ
スキーBigフェア
NORDICA

しかし板とか買って持って帰るの大変だぞ
用品すべてスキー場に預けておけますよ

板の整備や服のクリーニングも当然しておくのでいつ来ても自分の用品が使えます
レンタルから一歩進んだシステムです

ボトルのキープみたいだな
なんシーズンでもキープできますよ
必要なくなったらうちで買いとりますしね

ウェアなど決まったらこのカードを見せて下さい
うちの企業のPC(プリペイドカード)です

今回 みなさんを優待します食事からスキーのリフトまでこのカードで使えます
ホテルの部屋鍵(ルームキー)にもなってますから
なるほど
いろいろ使えるんだ

じゃあこれで全部だ靴に合わせて金具つけてくれ
はい909号室に届けておきます

日本酒3本と
ウイスキー あと
ゲームボーイと
漫画の本
はい
一緒で
いいです
ね!
ドリンク・軽食
コーナー
まるで
免税ショップの
買い物だな
3号車の
一階が
コンビニエンスに
なってるわよ!
なんでも
あるわ
この列車
20%OFF
愛!
これは
似合うか!
ちょっと
派手だと
思うけど
こら!
遊びに
行くんじゃ
ないぞ!
わかって
いるよ
あと
5分で
スキー場
です
早すぎる!
せわしない
な!

やっと
地上に
出た!
ヒュイイイイ!
NR

ありゃ!!
駅とホテルが一緒になってるぞ!
リゾートホテルから鉄道まで系列している企業の強みですよ
目の前がすぐゲレンデとは
それ一番乗り
本当に30分で着いちゃった

銀世界だ！
ビュ
SKI STATION
ひゃあ最高！
ザザ
ザザッ
ザザッ
電車の中で着がえて準備してたのね！
日本人てのはせっかちだな
NR SKI
NR HOT
みなさん全員そこの909号室です
ちょっと待て！
この部屋に23人も本当にとまれるのか？
大丈夫です
909
なん部屋にもわかれてるのかな？
ピー

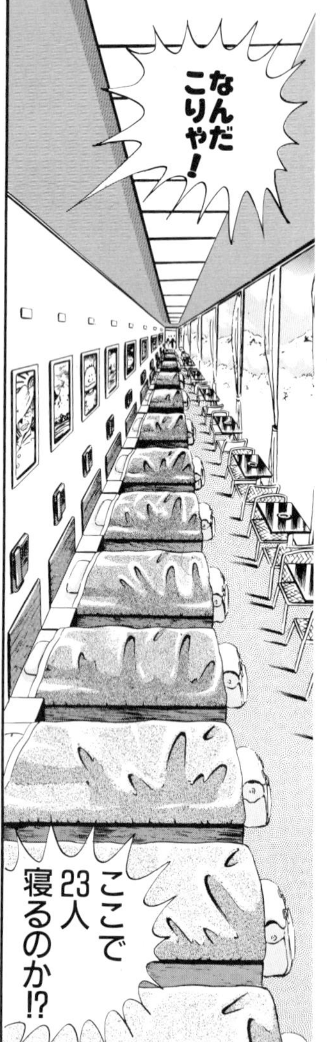
なんだこりゃ!
ここで23人寝るのか!?

不気味すぎるぞここは!
ぼくはこのベッドね
変わってますね

景色がとてもきれいね
ながめはバツグンだな!

先輩気に入りましたか!?
ドキ
うお

絵が電話になってるんです
面白いでしょう
面白くない！悪趣味だ！

20分後ロビーで待ち合わせしましょう
わかった着がえて行くよ！

これだけの人数でワンルームとはたまらんな
フロもトイレもひとつだし…

のんきにお茶など飲んでるんじゃない
遊びに来たんじゃねえぞ！

早く着がえてロビーに集合だ
早くしろ！
なかなか頼もしい支部長だ

早く一列に並べ!
すてきなゲレンデね!
おい見ろよ!
おっ
スキー場はみんなかわいく見えるな
ほんとほんと!
いて!

デレデレしてるんじゃない！まったく
何もスキーでぶたなくても…
ジ〜ン
こら！じじい！
デレ〜
総帥のお前がそんな事でどうするんだ
ひさしぶりにスキー場に来たもので…
まず柔軟体操一、二、
一、二、
一、二、
まず歩いて山頂まで行くぞ
えーっそんな！
え！
高速リフトを使えばすぐですよ
そうですよ何も歩いて…
ガヤ
ガヤ
ガヤ
ガヤ

あんなリフトなどたよってはいかん!
人間のが速いぞ
見ろ!この速さ!
人間じゃないよあれは!
ザザザザザザ
ガヤガヤ
何か言ったか!
いえ…別に…
全員登れ!
はい
ひえ
両ちゃんもしかして…
んっ何かあったか?
あのポルシェは!?
あっあいつだ!
ガオム
ガロロ
ヌゥッ

やあ しょくん
白鳥麗次だ!!
麗子さん
ずいぶん
さがしたよ
君のために
こうして
スキー場
まで…
こら
こんな所に
車を止めるな
ゴゴゴ
ぎん
バキ
メキ
やめろ
こら！私の
ポルシェを
メキ
メキ
バキ
バキ
あいつまで
くるとは
この先
いやな予感が
するな…
ガヤ
ガヤ
ガヤ

★週刊少年ジャンプ1991年15号

これが人工スキー場か！
5万人が収容できますよ
東京ドームの20倍はありますからね
翢堕羅拳スキー合宿（後編）の巻

（後編）の巻
※前編の扉と合わせると、大パノラマ扉になります。
特別出演　マリリン

翻堕羅拳スキー合宿
特別出演　本田

雪質もバッグンですよ！
ファンタイプとガンタイプの人工降雪機を併用してます
ここから雪が出てくるのか不思議だな
SMS
SNOW MAKING SYSTEM
21
立地条件にも恵まれてますからね

裏にある湖と地下水を利用し水は豊富にありますからね
その水をパイプで引き冷却装置で冷やします
冷却した水をコンプレッサーで水滴にし圧縮空気でいっきに噴射するわけです
ガンタイプ
配気管
配水管
ファンタイプ
冷却水
圧縮空気
冷却装置
コンプレッサー
普通 人工的に作られた氷核は結晶が本物と異なるんです
本当だ
人工雪
天然雪

うちで開発したスノーマシーンは結晶がほとんど同じ
あっ
まるっきり本物の雪じゃないか
従来のより時間をかけて作りますからね
時間がかかる分数を増やしてカバーしてますけど

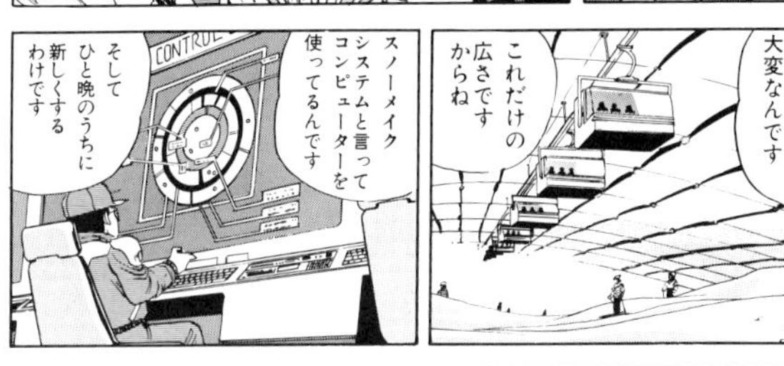
本物の雪のように均一にまくのが大変なんです
これだけの広さですからね
スノーメイクシステムと言ってコンピューターを使ってるんです
そしてひと晩のうちに新しくするわけです
CONTROL

雪質も自由に変えられますからね
室内の温度との調整によってベタ雪からパウダースノーまで作れます
大会などによって変化をつけられるわけです

夜は七色のライトをあびて美しいですよ
ブロロロロ
昼も夜も中にいるとかわらん!

昔の人工スキー場ってのは人工芝みたいなのを使ってたからな
えっ!?
船橋ヘルスセンターの人工スキー場など転ぶと火傷するんだぞ恐ろしいぞ
上達が早くなりそうね
メインのスキー場は夏はどうするんだ
ゴルフ場です都心から30分でこられますからね
NR HOTEL
EXIT
列車もゴルフエクスプレスと名が変わり
車内でゴルフ用品を販売して
GOLF EXPRE
ゴルフ用品
一年中遊べるレジャーランドだな
夏もぜひ遊びに来て下さい
ホームから一打が打てるわけです
むろんテニスやプールもあります

いやあ君達
相変わらずせわしないね!
BUSINESS WORLD

白鳥さんはまだすべらないの!
あわてる事はない!

リフトをわれ先に争い一秒を惜しんですべりまくるのは性に合わん
スキー場でのんびりとすごすのが金持ちのあかしさ
BUSINESS WORLD

そんな事 言ってお前!すべれないいんだろ!
ばかな事言うんじゃない!

真っ赤な顔で否定する所を見ると図星だな
勝手に決めるな!

よろしい
証拠を
見せよう
ピーー

ババッ
バババッ
ヒュン
ヒュン
あっ

そこでよく
見ていた
まえ！
私の
華麗なる
スキーを
キュン
キュン
バババ

相変わらず
派手な
やつだ
ババババ…

あっ
バッ

ズザァ
すすごい!
なんとダイナミックな!
ドドッ
きゃあ

白鳥さんすごく上手ね
信じられん
ワー
ワー
ちょっと待て…
あれは…
ワイヤーがついてる!
バババババ
ヘリが引っぱっているんだ!

どうだ
華麗
だったろ
きたねぇ
ぞーーっ
インチキだ

金持ちには
金持ちの
すべり方が
ある！
サンダーバード
みたいな
動きはよせ！

はい！
え？
おりて
こられ
ない
ですって？

翻随羅拳の
連中が
遭難
してますよ
えっ
まったく
だらし
ない！

そうだ！

ちょっと
ヘリを
かりるぞ
こ
こら！
パッ

Well Come!

このまま上まで行け!
こらよせ
ムチャするなあ!
危ないぞ

強化合宿に来てるんだぞ!もっと根性だせよ!まったく
ヘリが来てくれてたすかった

ん!そうか
スキー

おいみんなこっちこい
なんだこれは?
スキー

足をちょっと乗せてみな
何をいったい？
スキ
出発
なに!?動いたぞ!?
ウイイ～
地上まで10秒
ガクン
ぬおおおおお
ぎえんえんえんえ
次はお前だ
やめて下さ～い
ぎゃあああたすけて
ウイイーン
そんな格好してると 余計危ないぞ
ぎえええ
ひえっ
恐ろしい

なんとか
全員 おりて
来たな
もう
カンベンして
下さい

座って
休み
なさい!
ふう
たすかった

ありゃ
動いてる
!?
ウイィィーン

うわ
大観覧車
だ!!
ひえ

心配いらん
気分を
やわらげる
ためだ
そうか
!!
なんだ

いい
景色
だな
ん?
おや!?

あっ
ウイイン
ゴンドラが上に
またがんばってすべってこいよ!
たすけてー
ウイイン
ひええ また頂上に連れて行かれる

あっ

こら 総帥のお前が逃げるな
ガッ
もうカンベンしてくれ! 心臓に悪い!

お前だけわしがマンツウマンできたえてやる
超上級コース
DINGAR
DINGAR
心臓が弱い方はご遠慮下さい
ひええ やめて~ やだ~

先輩は？
さっきまた上に…
ギャーン
きゃあ
ドドドド
うわっ
こら！なぜ雪ダルマになるんだお前ら
知りませんよ！
ゲレンデもホテルもこわされちゃうわよ
予知できない行動するからな…
バシャッ

スキーは やはり温泉に かぎるね
これは 本物の 温泉 ですよ

覚えられん ほどの広さ だな
人工スキー場
おっ この近くに女性用温泉があるぞ!
なに

スキーギャルが 来てるかも 知れん そっちに 入ろう!
その方が いい!
待て!
レジャー用品
レンタル

私もついて行こう
なに?
見かけどおりのスケベだな
なに!
正直でよろしい!
3人乗りのスノーモビルがありますよ
近くだから必要ない!
レジャー用品
レンタル
ちゃんとはいたか!?
ムカデ競走みたいだな
ようし行くぞ!!

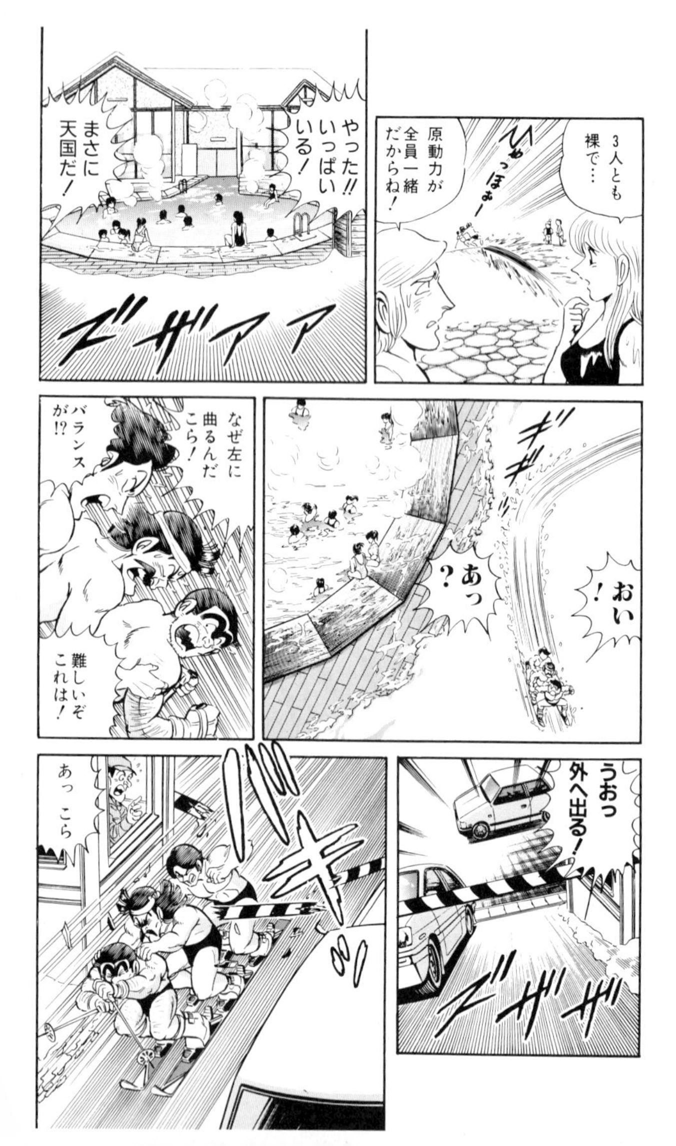

3人とも
裸で…
ひゃっほぉー！
原動力が
全員一緒
だからね！
やった!!
いっぱい
いる！
まさに
天国だ！
ズザアア
ギザザザ
おい
！
あっ
？
なぜ左に
曲るんだ
こら！
バランス
が!?
難しいぞ
これは！
うおっ
外へ出る！
ズザザ
バキ
あっ　こら

危ない!
うわ!
ギャギャ
ギャギャ

止めろ
こら
ムリ
だ!

えっ
先輩達が
外に!!

よりに
よって
あんな
所に!
待てよ
なんで わしが
戦うんだ!
武道家のお前が
やれよ
ガオオ
私は
熊だけは
苦手なんだ!

★週刊少年ジャンプ1991年16号

甘露(かんろ)を求(もと)めて!!の巻(まき)

先輩の自転車だ
どうしたのかしら
キイッ
派出所まで送ってくれてサンキュー
じゃあまたな
丁度パトカーが来たから一緒にドライブしてきた!
だから来るのが遅かったのね
パトカーに便乗して来たんですか
そう!

臨海公園でひるめし食べて来ちゃったよ

本当にからいカレーだったな
ちょっと 水飲んでこよう!

あっ
消火

なんだこりゃ!?

水道水をろ過する装置だよ
なんでこんな余計な物つけるんだ

部長がそれをつけた方が水がおいしくなるからと…

本当か?
ザー

ゴクゴク
全然
かわらんぞ
簡易的な
物ですからね
それは！
本格的な物は
なん十万円も
しますよ
そんな事して
なんになるんだ
かわらんだろ！
だいぶ
違うわよ
東京の水って
消毒の変な
感じがするわ
自分も
東京に来て
はじめて飲んだ時
くさい気がしたな
日本で一番
まずい水って
気がするね
まて
こら!!

わしなど
その水を
30年以上
飲んでるん
だぞ
産湯の時から
その水を使ってる
わしの立場は
どうなる！

両ちゃんの場合別にどんな水飲んでも変化ないんじゃない?
どういう意味だそりゃ…
お前らだって東京の水飲んでるんだぞ!わしと同じだぞ!
ぼくは自宅ではミネラルウォーターで派出所では ほとんど飲みませんし…
私もミネラルをいつも持参してるわ
ぼくもミネラルを
きたねえやつらだ…
派出所でお茶やコーヒーをお前らも平気で飲んでるじゃないか
あれもミネラルウォーターを使って作ってるのよ!
両ちゃんのだけ水道水で作ってるけど
なんでわしだけ水道水なんだよ!
だって両ちゃんは水道水の方が好きだと思って…
うんいつもうまいうまいって飲んでるものね

最近だろ！水がどうのこうのと言い出しやがったのは！
戦後の物不足の時そんな事言ったやつがいるのか!?
最近の調べでわかったんですよ
調べるんじゃないそんなもん！
後になってあれはダメでしたとかこの食べ物に発癌性が実はあったとか今さら言われたって手遅れだろうが！
主食の米だって水で炊くんだぞ！水を使わないわけにいかんだろ
ミネラルウォーターで米を炊いてる人もいますよ実際に！
都会に住む以上は自衛して生活してる人もいるのよ
それなら顔洗うのもミネラルウォーターで洗え
風呂も洗濯も海水浴もすべてミネラルウォーターを使え！
喫茶店も入らずレストランの料理もミネラルを使って作ってるかチェックし他人の家で食事する時「水道水で作りましたか？」ときいてみろ！

そういう人が
ぼくの友人に
います！
水筒を
いつも
持ち歩いて
いますよ
そんなムリしてまで
都会に住む事
ないんじゃねえか
大自然に住めば
自然の水があるし
空気はきれいで
新鮮な
有機野菜も
食べられるぞ
まあ
そう
ですが
そういうやつに
限って 大地震で
パニックになると
ドロ水でも平気で
飲んでしまうんだ
そ
それは…
そいつが砂漠で
さまよった時に
オアシスを見つけても
「私はミネラルウォーター
しか飲まない」と言って
死んでいったら
わしは そいつを一生
尊敬してやる！
そのくらいの
信念は持って
ほしい！
両ちゃんも一度
ミネラルウォーター
飲んでみたら？
味の違いが
わかると
思いますよ
グイ
グイ

まったく
同じ味だ
なんの変化も
ない!
微妙に
違い
ますよ!

お前ら全員
だまされて
るんじゃねえか?
集団催眠
みたいなのに
かかってんだろ
そんな事
ないですよ!

それ一本
いくら
するんだ
200円よ

ただの水に
よくそんな
金を出すな!
信じられんよ
水に対する
考え方も
個人的に
いろいろと
ありますからね

ミネラルウォーター
って事は
自然のわき水
みたいなもんだろ
まあ
カンタンに
言うと…
…おいしい
商売だよ!
まったく!

地下水
なんかも
売れるかも
知れんな
要するに
地下にある
自然水
だからな!
水質検査も
ちゃんと
やらないと…
水道局に
知り合いがいる
そいつに調べて
もらう!

地下水を掘り当てりゃひともうけできるかも知れん
やってみる価値ありそうだ

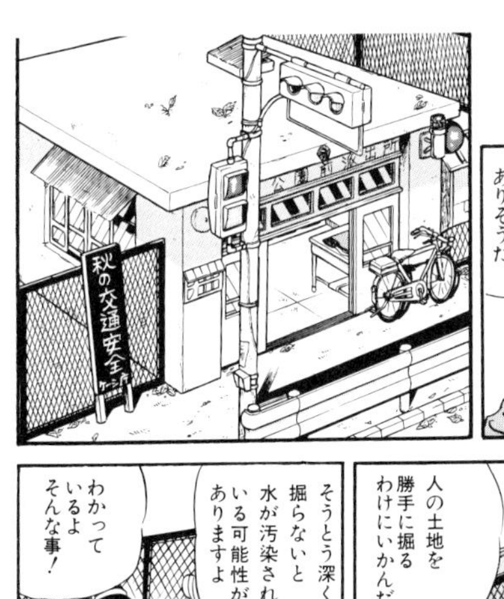
秋の交通安全
ケーシ庁

派出所の下を掘るんですか
人の土地を勝手に掘るわけにいかんだろ
ここなら署の土地だからな!
そうとう深く掘らないと水が汚染されている可能性がありますよ
わかっているよそんな事!
ザク
ガキのころ井戸掘り作業を見た事ある
井戸についてはわしなりにいろいろ調べた!

手作業で掘り続ける気ですか?
当然だよ
ザク
相かわらず恐ろしい行動力だ
お金よお金が両ちゃんを動かすのよ

なに
井戸を
掘ってる!?
自然水を
売る計画
らしいわ
なんて
やつだ!
この穴全部
スコップ一本で
掘ったのか?
寝ないで
掘ってますから
100メートルは
あるんじゃ
ないですかね
おーい
両津
出てこい
おーい
うわ
ドーー!

岩盤をくだくのに火薬を使ってるんです
金でも掘り当てる気か!?
ガラ
ガラ
ガラ
あっ上がってくる!
なんですかさわがしい
ガラ
ガラ
なんてかっこうだ
じゃまだからどいてどいて
ガラ
ガラ
また金もうけだろ!
なんて事言うんです部長!
私は住民にタダでおいしい水を飲ませるために身を粉にして働いてるんですよ
なぜその善意があなたにはわからないのですか!
金なんか欲しくありません!
住民の笑顔が欲しいだけです

寄付や
協力費という
形で絶対
お金をとると
思いますよ
ガラ
ガラ
タダより
高い物は
ないからな

そして ついに水は出た
やったぞ

ゆげが
出て
ますよ?
ドドドド
おかしい
な!?

あちちち
バシャ
バシャ
熱湯
だ!

温泉を
掘り当てて
しまった!
まさか
!
こんな所に
温泉脈
など…
あちちち!
ドドドド
出たんだから
しょうがない
だろ

下町の派出所から温泉が出たという
ニュースはマスコミに すぐ流れた

本当に温泉だ
ドドドドド
信じられん！

とんでもない物掘り当ててしまったな！
毎日取材がすごいですね

温泉じゃ売るわけにいかんしな！入浴料とってフロを作るか
署長達とも相談しないとまずいですよ

観光地になりそうだね

それだ!!!
ドン
みやげ物の権利をいただこう！

さっそくまんじゅうのパテントをとり工場に300個 発注した
派出所温泉まんじゅう

やって来る報道関係者ややじ馬にまんじゅうはヒットした
名物
派出所温泉まんじ
500円！

それから数日後
派出所温泉建設予定地
なに温泉の出が悪い!?
だんだん量が少なくなってきました
うおっ大変だ!
バルブ全開だ!!
グルグル
完全に止まったわ
もうだめみたいですね

バカな涸れるにしては早すぎるぞ!
よくわかりませんが本物の温泉脈じゃなかったみたいですね
何かの具合でたまたま地下に残ってたんですよ
やはりそうカンタンに温泉は出ませんよ
残念ね!
派出所温泉まんじゅう1,000個も発注してしまったんだぞ!温泉が出なきゃ売れないぞどうするんだ!
ぼくらに言われても

まんじゅうは
そんなに日もち
しないぞ
どうするんだ!
くそ〜〜〜〜
ガッ
ガッ
温泉より
まんじゅうの
方が大切らしい

お前ら
温泉の事
だまってろ!
いいか!
誰にも
止まったこと
言うなよ!

すぐ
ばれて
しまう
わよ
うるさい
いいから
だまってろ!

それから偽装温泉
作りが はじまった!
本田 このボイラーで
お湯をわかすからな

でも ただの
お湯じゃ…
バレちゃうよ
この
温泉の素を
毎回
入れるんだ
日本の名湯
わき上がる
30分ごとに
一袋入れる
大切な役目だ
やな
役目
だな…

警視庁

今度 葛飾区も協力してくれてな
えっ？

バッ
平成4年 完成予定
派出所温泉
となりにこのようなビルを建てる計画らしい

お金のムダづかいはやめといた方がいいと思いますよ…
盛大に祝うと言っとったぞ

同時に本格的な温泉調査団が来ると言っていた！
ガーン
えっ

両津のおかげで署の株も上がったよ
株は暴落もありますよ！

先輩あまり事が大きくならないうちに…
うるさいまんじゅうを売りつくすまではごまかす！

温泉ビル調査が入りまたマスコミの話題となった
TV

ここが
有名な
温泉か!
記念の
温泉
まんじゅうを
買って下さい
温泉ま
大特価

調査で
マスコミに
騒がれる
たびに
売れるな
ん?
ジャラ

こら本田
起きろ!
グイ
少し
寝かして
下さい!

これから
調査が入る!!
わしは ここを
離れるわけには
いかん!
24時間
働け
ませんよ

先輩
調査の
人達が!
もう
来たか!

本田
うまく
やれよ
行け

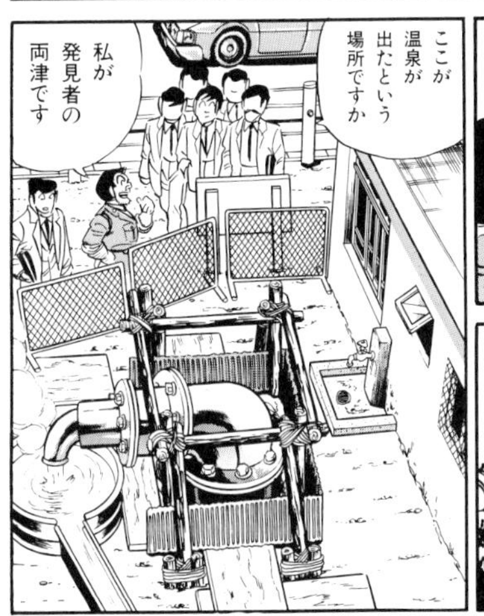
ここが
温泉が
出たという
場所ですか
私が
発見者の
両津です

やだなあ
こんな仕事
でも
先輩の
ためだ！
えーと
温泉の素
は…と
これ
かな！
インスタント
みそ汁
粉末
(ワカメと油あげ)
ふああ
ねむい！
もう
ねむくて
限界
だよ！
目が
ショボ
ショボ
してきた

どうです
データは？
うーむ
どうも温泉の効力が
少ない ただの
お湯のようだ…
なんか
にごって
きましたよ
みそ汁の
かおりが
するな！
ワカメが
浮いて
きたぞ!?
みそ汁だ
これは！

なぜ地下からみそ汁が!?
あのバカめ

こら! 本田
えっ何か?

わしのみそ汁を入れるな! ねぼけやがって
ごめんなさい!

なるほどこういうわけだったのか
あ!
ニセの温泉だったとは………

はじめは本物の温泉だったんです! 信じて下さいよ~っ
せっかく掘った穴だ 今度は本物の温泉が出るまで掘り続けろ! たとえ100年かかってもな!
ウイイーン
ガラガラ
私一人じゃムリですよ! やめて~っ

★週刊少年ジャンプ1990年52号

林間に燃えた商魂の巻
麻雀ルー
ラーメンと餃子
ありかわや
解除
7020

秋の旅行にフェラーリで行くとはリッチだな
ガロロロロ
このF40は6人乗りですからね

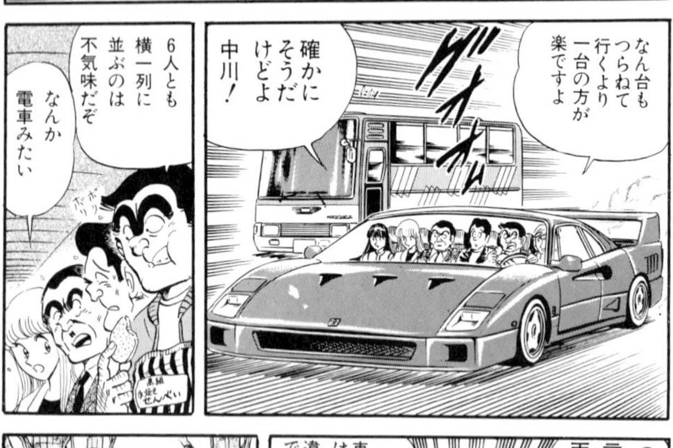
なん台もつらねて行くより一台の方が楽ですよ
確かにそうだけどよ中川！
6人とも横一列に並ぶのは不気味だぞ
なんか電車みたい

つべこべ言うな両津！
車線はみ出しは違反ですよ
ガロロロ

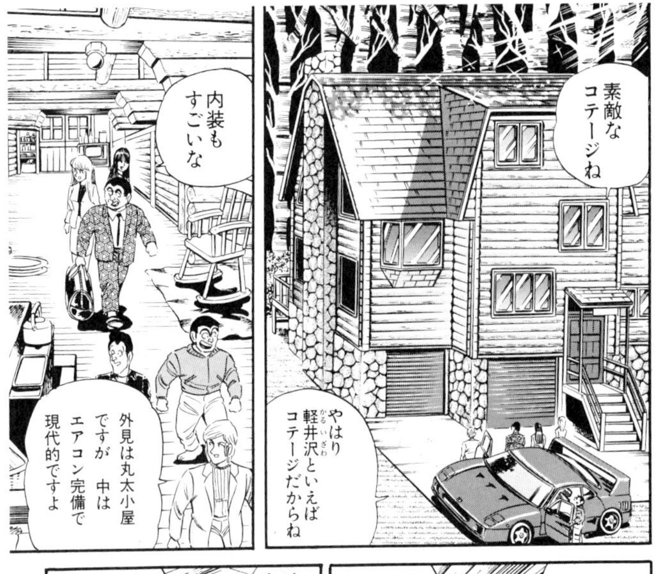
素敵なコテージね
やはり軽井沢といえばコテージだからね
内装もすごいな
外見は丸太小屋ですが 中はエアコン完備で現代的ですよ

電話一本で 24時間ルームサービスがありますからね ホテル並ですよ
あの本館からなんでも届けてくれるわけか
冷蔵庫がないぞ
ジュース一本から 注文出来ますから必要ないですよ

よいしょっと いい気分だ!
ドスッ

ベッドの数が4つしかないぞっ!
そうですね

ここは4人部屋だって!?
なんかいやな予感がするな
何かあったんですか?
2人だけ別の部屋へ移ってほしいだと…
シーズンなのでどのコテージも満員なんですって!
臨時でテントをかしますのでそれでなんとか
どうしましょう部長
いたしかたあるまい…
テントには両津と本田の2人が…
ちょっと待って下さいよ!!
なんでわしらがテントなんです!?
テントにもたえられる野性的な男は君らしかおらん
本田はバイクで外を走り回るし両津はそのまま野性だ
これがテントだ!こういうのはお前の方が詳しいだろ!
ジャンケンで決めましょうジャンケンで!
だめだもう決まった

くそ！なんで旅行に来てこんなマネせにゃならんのだ！
ぼくまで外なんて悲惨だな！
これで食事を作って下さい
おい！自炊させる気か！注文(ルームサービス)出来るはずだろ!!
テントのお客様は客であって客にあらずサービスは一切ありません
それじゃただキャンプに来たのと変わらんじゃないか！
じゃ頑張ってな！
くそ！恨んでやる！

本田　下の街まで食料の買い出しだ！ホテルで買うと高いからな！
本当にキャンプ生活が始まるのか…

ザーー
ザーー
だいぶ雨が強くなってきたぞ
エアコンがきいてるから全然 影響がありませんよ
どうぞごゆっくり
うむごくろうさん
ブロロロロ
電話でなんでも注文出来るから嵐も関係ないな!
両様たち大丈夫かしら
ビュウウウウ
嵐になってきたぞ
きゃあ
本田!手伝え!!カンヅメは後にしろ!
この嵐の中を外へ出るんですか!?
テントがつぶれてねる所がなくなってもいいのか!
もうやだ!こんな生活!!
ゴオオオ
台風55号の直撃であちこち木が倒れガケ崩れがおこり道路は寸断された
嵐は30時間もの長い間 続いた

ようやく嵐が去ったか
翌日
電話も全然通じなかったわね
食事が全然 注文出来なかったよ
おなかがすいたな
半日以上何も食べてないものな
あっ あれは!
あっ!
道路が閉鎖されてるぞ
これはひどい!!
断水や停電になったのもこの事故のせいか
どうしましょう本館から完全に孤立してしまった
やれやれ全然 ねた気がしなかったよ
メシにしようぜ

カンヅメだけはたくさんあるから…
ん？なんだ
そのカンヅメ売ってもらえませんか？
え？
いいよいっぱいあるから
私10個買います
ずるいぞ一人じめは
何をお前こそ5個も買うな!!
これは私が買った品物だ!!
ずるいぞこら！

なんてこったオレたちのまで持って行きやがった！
すごい

嵐で道路がすべて閉鎖されて食べ物が全然ないんですよ
水も出ないのよ

だからわれ先にわしの所へ集まって来たわけか！
なるほど読めてきたぞ

本田！一緒にこい！
えっ

部長たちに
仕返しする
チャンスだ！
下の街まで
もう一度行くぞ
行くって
道が　もう
ありませんよ
飛び降りた
方が早い
つかまってろ！
ザザザザ
ぎゃあ
あああ

山中商店

店の品物
全部
買った!!
ひぇっ

山の上まで
運ぶんですか？
ムチャですよ！
いいから
とにかく
みんな
つめ込め！
リヤカーは
数日後に
返しに来る！

車でも30分
かかる山を
リヤカーで
なんて…
ガラガラガラ
うおおおお

両津が
いない
だと？
朝は確か
いたんですけど
ね…

物資を届けに来たぞ!
ガラ
ガラ
ガラ
ガラ
ガラ
ガラ
あっ食料だ!
ワ
ワ

おさないでパニックになるから!
心配いらん全員にいきわたる分はちゃんとある!!
ワ
ワ
ワ
ワ
ワ

両津みんなのために食料を買って来たのか!さすがだ
警察官のカガミですね

ただし
ピタッ

虫のいい事を言うな!こっちは命がけで仕入れて来たんだ!!
慈善事業じゃないんだぞ!あくまでもビジネス!!

値段は時価だ!せり合いで決めてもらう
えっそんな

じゃあ このカップラーメン
千円!
千五百円
一万円!!
しーーん
はい! ほかには?
決まり! じゃあ 一万円で
うむ
値段が決まった! カップラーメンは一万円…と
カップラーメン10,000
ガヤ
ガヤ
高すぎるぞ!!
民主主義で決めたんでしょう! 私は知らん! そのおじさんがつり上げたんだから!
だって欲しいんだもん!
みなさんによってだいぶ値段が決まってきましたね
カップラーメン 10,000円
カンヅメ 7,000円
ジュース 8,000円
コーヒー 15,000円
コーラ 10,000円
せんべい 8
キャラメル 4,000円
電池(1本) 3,000円
チョコレート 5,000円
ガム 4,000円
なんて事をするんだ…あいつ…
どうもおかしいと思いましたよ

お湯はまだか?
えっ!?
お湯がないと食べられん
そうだよお湯!
言い忘れたけどお湯は高いですよ
えっ売るのか!?
当たり前だ貴重な水を固形燃料を使ってわかすんだぞ!
タダなんてとんでもない話だ!
まさか買う事になるとは…
非常時ですからね
お湯
1杯1,000円
わりばし
1本1,000円
1組2,000円
はい千円はここまで!
ピタ
これっぽっちじゃラーメンがふやけるだけで作れないぞ!
これが私なりの一杯分!
じゃもう千円出す!もう一杯分くれ
はい毎度

はい
千円分
!
チョロ
チョロ
さっきと
あまり
変わらんぞ!!
うるさい
やつだな!
あんた一人のおかげで
後の人のお湯が
さめるんだよ!
他人に迷惑かけちゃ
いかんよ
そうだ
早く
しろ!
早く
どけ!
あんた
かわいいから
少し多めに
あげよう!
まあ
ありがとう
いいかげんに
しろ!!
弱みに
つけこむんじゃない
すべて定価で
売れ!
なんて事
言うんです
部長!
ホテル内や観光地で
定価でジュースなど売ってる
所がありますか!!!
高くてもみなさんちゃんと
買ってるでしょうが!
高いのは
おかしいと言って
デモしたり
ビラ配ったり
してますか?
みなさん認めて
買うわけでしょう

いいですよ
私 山を
おりますから!
待って
くれ!!
行かないで!
ガラ
ガラ
ガラ
ガラ

聞きましたか?
民衆の声を!
「両津商店」で
高くとも
買いたいと
おっしゃってる
わけです
私は今ブームの
自由価格(オープンプライス)で
営業してる
だけです

部長
私を
たたいたから
ペナルティ
五千円
何!?

部長が
うちの商店で
買う場合
五千円プラス
されます
なんだと!!

ふざけた事
ぬかす
な!!
あいた
パコッ

今ので
ペナルティ
一万円に
なりました
よ
部長!
こらえて
下さい!

週刊誌
ください!
はい
200円です!
一列に並んで
お待ち下さい

本だけはまともな価格だな
違うんです部長!

20ページでいいです
活版20枚で四千円!カラーは2割増しだからね
一ページ200円なんですよ

ノドがかわいたわね
仕方ない買って来るか

ジュース一本だ!
は…はい八千円ですが…

違うだろ本田!部長の場合は一万八千円だ
部長こらえて!

このジュースが一万八千円か
ものすごく貴重ですね…
オレンジジュース
250ml

このジュースで2日間もたそう
さみしくなってくるわね

両津商店
さーて本田ひといきつくか!
そうですね

よいしょっと ここで ジュースでも 飲もう！
パコッ
パコッ

あらら 一本を そんな大切に 飲んじゃって
大変ですね おたくさん たち！

やっぱ ジュースは 一気に飲ま ないと
ゴクゴク
うん うまい

本田くん 私と一緒に テント組に なってよかったね 裕福で！
ま… まあ…

もう一本 飲んじゃ おっと！
パコッ

あーー おいしい！
だいぶ 残っちゃった な！

どーしよう かなーっ
この ジュースの 残り！

捨てちゃえ！
ピク
ピク
ジョロロロ

お前というやつは！
ガッ
だめです部長！
またペナルティが！

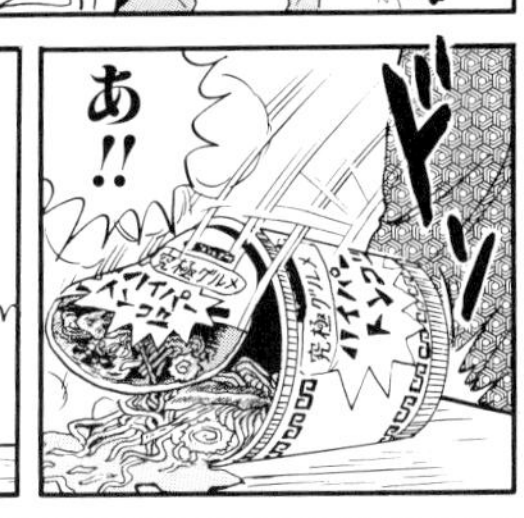
ドーン
あ!!

一万円のカップラーメンが大変だ！
あちちちち！

おつゆがほとんど出てしまった…
貴重な品を…

本田くん！今度はカップラーメンだおいしいね
ズルズルー
本当においしいです！

うまい!!!
ズ～
ズズ～
これはうまい!!最高!!
ズ～
ズル～

うまいけどおなかがいっぱいになってきたな！
どーしようかなーっ

捨てちゃえ！
ジャー
ガッ
部長
その後も両津商店の殿様経営は続いた
いやあジュースあびは気持ちいい
しかし その政権もかげりが見え始めた
みなさん長らくご迷惑をおかけしました
あと2時間後にバスがむかえに来て 本館へご案内しますもう少しお待ち下さい
ワッ
よかった
やっと開通したか
ただ今開通サービスで値下げしました
セール中!!
定価のたった三割増！今がお買得！
もういらないよ
あと2時間がまんすればいいんだから！
ゾロ
ゾロ
大セール
激安
売りつくしセール
くそーだれも見むきもしなくなった
あと2時間で開通ですからね…
本田 こい残り物を全部売りつくすぞ
えっどうやって
ダッ

もう一度ガケを崩し
開通を一日遅らせる！
一日あれば全部売れる
ガッ
ガッ
ガッ
そんな
ひどい
バカモノ
商売は
非情で
なきゃ
もうからん
ドドドドドドド
うわっ

いやあ
道が開通して
よかった！
ブロロロ
また
両津たちが
いなく
なったな

あっ
あそこに
いた！
ガヤ
ガヤ
なに!!

ひええ
もうけた
金があぁ
金の
亡者の
あわれな
末路だ！
なんで
あんな
所に？
ガヤ
ガヤ
ガヤ
ビュルルルル
やっぱり
先輩と
組むんじゃ
なかった

★週刊少年ジャンプ1990年43号

クレーンゲーム
チャンピオン大会!の巻
おもちゃ・菓子
かすみ商店
Salem
夜
道路
工事
UNCERCONSTRCTN
葛飾区役所

人間クレーンのチャンピオン大会だと!
そうです!
公園前派出所
13チャンネル

あの番組は大好評でして歴代のトップが集まるんです
ぜひ両津さんにも出場していただきたく思いまして

よろしい任せなさい!
よかった

ではよろしくお願いします

よかったですね先輩
金がなくてまいっていた時だからな!

2人で協力して賞品全部いただこう
全部ですか…

TV 13

やってまいりました！
全国一億人のバラエティー番組のファンのみな様！

お待たせいたしましたー！
第一回人間クレーンチャンピオン大会！
人間クレーンチャンピオン大会
ワァァァ
オオオ

栄光に輝く10組のチャンピオン達です！
チャン

やはりフリーターというのが気になるな
やはりそうしないと…
フリーター両津

なに？
両津達が
テレビ番組に
出てるだと！
えっ!?
聞いて
ないいん
ですか？

以前　出た
この番組
です
こりずに
出るとは
まったく！

チャンピオン
大会に
ふさわしく
趣向を
こらして
あります

まず
第一コースは
！
水中
クレーン

10メートル下に
高額賞品が
しずんでいます
水が
不透明で
わかりにくく
なっています
万円以上
10万

時間は
無制限！
息の続く
限り
もぐっていて
けっこうです
AquaVideo

一番奥の
プールは
超高額賞品が
あります
ただし
30秒すると
ピラニアが出て
くるので長くは
もぐれません！
30秒でピラニアか！

非常の時はボンベを使用して下さい
ただし失格になりますが…
よし！ＯＫ！
スタート
ギラギラ
うっ
水面が光って見にくい！

さあ水中に入った
ゴボボボ

なんと！賞品の近くに着水していた
これはラッキーです！

ムダに動かず確実に賞品を集めています！
さすがチャンピオンだな

なんと一分間もぐってました！
すごい量の賞品をかかえております
ザアア

うっ
上に出た
とたん
重い！
くく！
しまった
！
グググ！
水中では
軽いという
ワナがあります
次々と
落としてます！
5万円以上
以上
水面に
ライトが
当たり
見づらく…
ぜい
思った
より水中は
動きにくい
です
ぜい
ぜい
第一回
チャンピオンの
両津氏！
無装備での
登場です
5万円以上
上
ボンベなど
いらん！
かえって
邪魔に
なる！
ピラニアの
プールへと
行きます！
さすが
期待に
応えます！
30秒でピラニアが！
さすが
やったー
ピーピー
よし！
おろせ！
ギラ
ギラ
なんと！
高額ワープロの
真上に
ピタリ！

どうして
わかるん
ですか？
あの人！

カモメなどが
乱反射の水面から
魚をとるように
先輩の眼にある
偏光フィルターが
可変するんでしょう
まるで
野生ですね…

30秒たっても
全然 出て
来ません
ワ
キャ
オ

ピラニアが
放たれます
！

全然
動じません！
もくもくと
ワープロの
品定めを
しています！
キャ
キャ

ガブ
まるで蚊を
追いはらう
ようです！
まったく
無視です

5分を経過しました
500
ガヤ ザワ ザワ ガヤ

上げた方がいいんじゃないですか!
ガヤ ガヤ
心配ありません大丈夫!

浮上しましたすごい量です
ザザァ

微動だにしません!
ひとつも落とさず戻って来ました!
ピー ピー

なんとピラニアまで持って来ました
熱帯魚屋に高く売れるぞ!

どこまで貪欲なやつだ…
信じられない人ね!

第一コースの結果は!
ダントツで両津チーム
両津・中川チーム
斉藤チーム

第二コーナーは
場所を新宿に
変え
高層ビルでの
人間クレーン
です!
アァァアァァ

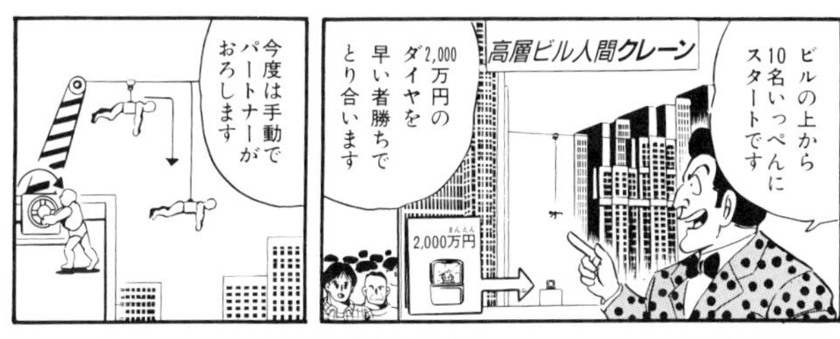
ビルの上から
10名いっぺんに
スタートです
高層ビル人間クレーン
2,000万円
2,000
万円の
ダイヤを
早い者勝ちで
とり合います
今度は手動で
パートナーが
おろします

手動か
まずいぞ
がんばり
ますよ!

全員
スタンバイ
して
下さい!
ヒュ
すごい
風だ

ひえっ!
だ だめだ
2名 棄権されましたがほかに…
2,000万だぞ そんなもったいない事できるか!
体力のある方が手動係になってやがる
中川じゃやばいな…
とにかくクレーンで下に行って戻ってくりゃいいんだよな
ええそうです!
スタート!
ワー
ワー
ワー
ワー
こ これはきつい!
うおおお
ガラガラ
ガラガラ
おりて来ました!
地上まであと50メートル
ワー
ワー
ワー
ワー
ワー

やはり差がついた
ザァァァ
このままじゃとられる
なんの！
ブゥン
この手がある！

あっ ロープがもつれました!!
ワー
キャー
うわ！
キャー
うわっ！
ひえっ！
キャ

なんて事を
手段を選ばぬやつだ…
これはひどい！
キャー
キャーワァァ

これでよし！
時間かせげた！
パチン

あっ飛びおりた！
ワァ
きゃあ！
キャー！
ワァ！

あいつつつ
なんとか一番乗りだ!

やり方がきたないぞ!
あっおりてきたか

卑怯者!
おっと

卑怯もクソもあるか
うわ!!

勝てば官軍の世の中だ!

ゲーム内容が変わってきました!
おっ!?またロープを登り始めます!!

ゲームが中断されると賞品がフイになる
あくまでもルールにのっとって
ゴールへ戻る
なんとゴールへ戻ってます
一人でゲームを続けてるようです
うおっすごい風だ
うぬくそ!
ヒュウ
よいしょっとゴールイン!
わしの勝ちだぞ!
ダッ
はは はい!

最終コース!!
サファリランド！
すべてが
会場です！
サファリランド

ランド内エリアに
高級品が
置かれてます

500万円以上の
高額賞品は
最も危険度の
高いエリアに
置かれてます

10か所に置かれた
80キロの金庫！
これが今回の
メイン賞品
です

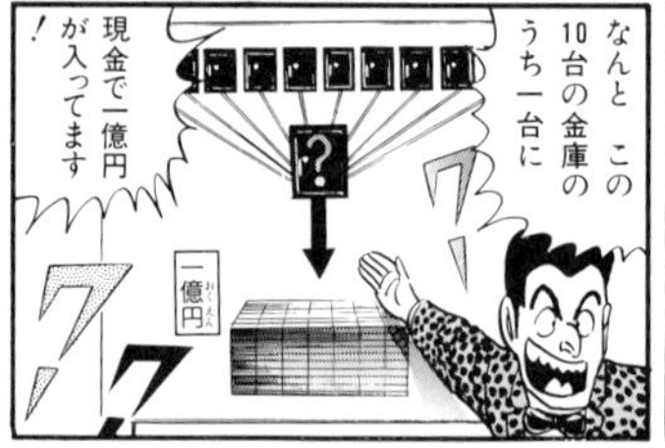
なんと　この
10台の金庫の
うち一台に
現金で一億円
が入ってます
！
一億円

いよいよ出ましたね
一億あれば・・・1年間は遊んで暮らせるぞ

危険地区に行く人がいるだと? 100%ないと言ったろ!
たぶんあの人は行くよ
麻酔銃の出番かも知れんな

Aチームがスタートしました

よし誰もいないぞ
今がチャンスだ

いきなり金庫をとりました!
なんと大胆な!

一億なら当然だ!
だんだん先輩のマネしてきますね

ワクワク
ガヤガヤ
さあ一億入ってるでしょうか

パチンコ玉がひとつ入ってました
あーあ
残念でした
なんてこった!

ババババ
残る9台は誰も手をつけません!
全員手がたく賞品を集めます
ヮヮ

リスクが大きいからやめますよみんな!
わしの独壇場だやったね!
ガチャ

両津氏なんの迷いもなく危険地区にむかいます
ここには数多くの金庫が置かれてます!
バッバッバッ

本当に行く気だ!
なんて命知らずな

ワワワ
なんて事させる番組だ!
すごく盛り上がってるわ

いっきに4台の金庫を持ち帰る気です
相変わらずムチャします

トラが来ました!危険です
重くてウィンチが上がらない!

早く上げろ！
ヘリを上昇させろバカ！
ガル
ガルル
あっ！
プツ
ロープが切れた！
ドサ
これはまずい！
もう戻れません！
ギャー
キャー
きゃあ！
なんて事だ!!
ワー
ワー
こいつはやばいぞ！
金庫を置いて逃げて下さいよ！
ガオオ
確かにそれは言える！
重すぎる！
ドス
なんと自分で金庫を開けようとしてますよ
ガルル

げっ
えびたま
ふりかけ！
えびたま

こっちは
マーブル
チョコだ
ちく
しょう

やかま
しい！

さっきの
2台に
入ってるかも
知れん！
ダダッ

自ら危険
地区に入って
行くとは！
キャワー！
なぜ…
金庫が
開けられ
るんだ…
あの人は

ガオオオ
うお
今度は
ライオンか
身の休まる
ひまがないっ

全部
開ける気
だな…
ワーキャワーキャー
もう
誰も止め
られない
わね

今度こそ一億円が……
ガォム
ガルルッ
げっサイコロキャラメル
変な物ばかり入れやがって…
なめてんのかテレビ局！
ふざけやがって！
ガッ
危険だ！早く麻酔銃を！
わかりました！
チャキ
早くしないとサファリランド中の動物すべてがケガだらけですよ
どこだ金庫
一億はどこだあ
あの人を撃つんですかうーむ…
うおお
ワ
ワ
ワ

★週刊少年ジャンプ1991年19号

とっても便利な達筆くんの巻
警視庁
お出かけは 一声かけて カギかけて
警視庁

署長
なんの御用
でしょうか
？
今日
本庁から
書類がきた

この字が
全然
読めないと
もどして
きたんだ
活動日誌
取扱事項
すべて
チェックした
はずですが…
チェックが
あまいよ
大原くん

葛飾署には
幼稚園児が
いるのかと
笑われた！
この書類など
もっと
ひどい

競馬の
予想が
書いて
ある
10R
3-7
3-8
3-3

悪筆にも
限度が
あるからね
申しわけ
ありま
せん！

今後は
気をつけ
ます！
よろしく
たのむよ

バタッ
あの…大バカ者め……

へ～くしょん

カゼですか?

誰かがうわさをしてるのかな?
グスッ

めずらしく仕事を するから体調が悪くなったんじゃないですか!
大きなお世話だ!
ピンときたら
警視庁 110番

あ！いけね
字を間違えた！

ケシゴムないか？
ボールペンじゃ消せないわよ！

しかたないツバで消そう
ペ
ゴシゴシ
きたない！

余計きたなくなった
黒くぬりつぶすしかない！
ガリガリ

大バカ者！
うわっ
百科辞典

いきなり驚かさないで下さいよ！
大切な書類をツバで消すとは…

お前には知能と言うものがないのか!
く…くるしい
いつになくきびしいですよ!
原因はお前だ!
ゴホ ゴホ
ゴホ

これを読んでみろ!
バッ

誰ですこの汚い字?
お前の字だ!

え? 私の!? おかしいな 私はこんな筆跡だったかな?
解読してみろ!
御用
御用

え――と 二月…四日… 天候は… えーと 晴れ…かな
活動の重点は… え――と
う~~む この字は……

部長
すいません
この字
なんて
読むか
わかります
?
自分でも
読めん字を
書くんじゃ
ない!
あいた
!
部長
落ちついて
下さい!
こいつの
ヘタクソな
字のおかげで
ハジをかいた
字なんて
読めれば
いいじゃ
ないすか
!
読めんだろ!
お前の字は!
字が
いい加減な
人間は
時間などにも
いい加減だ
すなわち
お金にも
いい加減
したがって
生き方も
いい加減
それが
お前だ!

それは偏見ですよ!
字にお前の性格が出ている

この字を見ろ!
書きなぐりの汚い字だ!
活動日誌

中川達のとくらべればよくわかる
よく見ろ

ピシッと最後を止めてある几帳面さが字に出ている
お前のは止める気のないだらしのなさだ!

次の字も平行線のバランスが実にいい
お前のは平行線がまったくなくハネ方も逆だ

この字も見事なバランスだ
お前のはここまでくると字でなく暗号だ!
本日

いそいで書いたからこうなっただけですよ
基本ができていれば どんなに速く書いてもかわらない!

中川や
麗子くんは
字だけを
見ても
気品がある
本人の
美しい
人となりが
わかる

お前の
字は
頭の悪さが
そのまま
出ている
まさに
バカ丸出しだ
部長！
偏見だ！
活動日誌

遅刻はする
平気で休む
言われた事は
守らない！
無計画！
無鉄砲!!
無貯金!!!

そういう
自堕落な
生活をして
るから
こういう
字に
なるんだ！

字が汚いのは
しょうがないでしょ
生まれつき
なんだから
努力も
せんくせに
そういう
言い方が
一番悪い！

明日から
習字を
習いに
行け！
えっ！

いやですよ
今さら
習字なんか
……
だめだ!
明日から
毎日
習うんだ

月謝は
お前の給料から
引いとく!
そ…
そんな!!

その歳で
小学生みたいな
字を書くなんて
はずかしいと
思わんのか!
わしが
字を認めるまで
なん十年かかろうと
習い続けるんだぞ!

くそ〜〜〜
生活と字は
関係ない
だろうが!
両ちゃんの字
本当に
読みづらいわよ

いいん
だよ!
字なんて
フィーリング
で読めりゃ
読めないいん
だってば
!

なんのために
ワープロが
あるんだよ!
字なんて
ワープロで
打てば
いいんだよ
手紙だって
ワープロの
時代だってのに
まったく

習字も
見なおされて
ますよ!
なんで
だよ!

年賀状や
正式な物は
やはり手書き
でないと!
ワープロの字が
多くなるほど
手書きが
珍重される
時代ですよ!

ワープロの
習字体でも
かわらん
だろ
やはり
手書きとは
だいぶ
違いますよ

楽して
字が上達
する方法
ないかな
何か
あるはずだ!
何か…

そうか!
こういう
手もある

集英電工株式会社

習字の
ロボット
!?
ああ以前
作ってたよ
会社でね
開発研究部

もう一度
新型を
作ってくれよ
え──っ

簡単に言うけど開発費に一番 金がかかるんだよ
だから以前のベースを利用するんだよ
教室でウンコもらした事を バラしていいのかな?
わ…わかった作るよ
わしのアイディアもぜひ入れてくれ!
お金がかかりそうだな!

書道機だと!?
はい
達筆くん
百科事典

そんなの売ってるんですか？
試作品だ!!
わしの友人に作ってもらった！
さっそく動かしてみせよう
ピピッ
ピッ
わしの名を入力して……
大きさ書体などセットする

動いた！
部長よく見てて下さい！
人間よりすぐれたマシーンを

あっ！
書体もなん十通りも書けますよ
両津勘吉
両津勘吉
両津勘吉
両津勘吉
ただ書くだけなら今までもありました
ここからがすごいんです！
ピッ
ピッ

書道の先生の字をマネるんです
ちゃんと記憶させておきました
ウィイーン
見て下さい！
本物とうりふたつ!!
ビシ
すごい…そっくりだ！
力の入れ方まで同じですね
まだ驚くのは早い
部長の字を記憶させます
ウィイーン
あっ!!
ひらがな50字漢字30字以上入力させると応用ができるんです
コンピューターが解析してね
ウィイーン
入力が終了したところで…
「本日は晴天なり」を入れると
あっわしの字だ！
そう部長の字です！
ウィイーン

これからの書類はすべて「部長の字」で書きます
これならば字が汚いと口がさけても言えないはず！

さらに住所・氏名のディスクを入れると
全国の住所が一発で検索されて出てくる

500人の住所氏名が記憶(メモリー)されるわけです
あて名書きはボタンひとつ！
ピッ

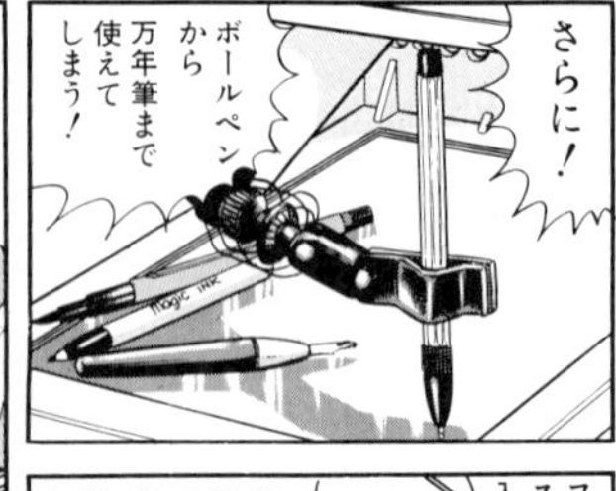
さらに！
ボールペンから万年筆まで使えてしまう！

ファジィ機能のスイッチを入れれば
機械的な同じ字体でなく人間のように毎回微妙に違えて書けるわけです

どうです部長!!
これでも習字を習えと言えますか？あなた！

すごい
マシンですね
これは…
ところが
全然
売れ
なかった

おまけに市場が
日本のみだから
すぐ生産中止に
なってしまった
海外で外人が
買っても
使いみちが
ありませんね

確かに
すごい品だ
これは…
人が
書いたのと
まったく
かわらない
ものね

はい
部長
できました
あっ
うむ!

自分の字で
書かれてると
いやな気分
だな
まだ
いいわよ

金釘流(かなくぎりゅう)の
達筆で
書かれていて
全然読めない
わ!
とんでもない
物を
作ったな

「達筆くん」が勝手に動いてますよ!
ウイイーン
あて名書きのバイトをしてるところだ
100枚単位で自動的にハガキを書くんだ
カチャ
さすがに便利ですね
名前や住所をインプットするのに4時間もかかったぞ
・・・そっちの方が大変ですね
えっあて名書きしてほしい!?
そうなんだ明日の朝までに300枚!
わしが達筆だからと署長にたのまれてな名誉挽回に引きうけてしまった
その機械ならわしの字で300枚書けるだろ!あとへは引けんのだ!たのむ!
まっ考えときましょう
両津くん頼むよ
なっ

私でないと「達筆くん」は動かせない！わかりますね
インプットするのが素人じゃムリです！
ごもっとも！
じゃあジュース買ってきて
ババリースね！
チャリーン
そういう顔するならいいスよ別に！
ゴロッ
あたしゃ全然こまらないんだから！
わ…わかったすぐ買う！
葛飾署主催の招待状のあて名書き？
部長が安うけあいしちゃってな！
機械をバカにしてた部長が一番利用したがってるんだまったく！
ピッ
300人もいっぺんにインプットするのは大変だぞ！
ピッ
これでよし…と
これで朝までには自動的に書かれてる
ウィーン
楽ですね

※電気が切れてもデータは、そのままになってる機能。

やはり
手書きが
一番ですな
ははは
ん？

大原くん
住所録が
はりつけて
あるだけだ
なんですって

これじゃ
ワープロの
DMと同じだ…
どういう事か
説明して
もらおう
いや…
その…
あの…

ギ
ギイ

両津の
大バカ者は
どこだ!
さきほど
中国へ
書道の修行に
旅立ちました
けど…
ガチャ
ガチャ

★週刊少年ジャンプ1991年９号

恐怖の剣道仮面！の巻

稽古を私がつけるんですか？
これから用で亀戸署へ行かねばならん
どうせ暇なんだろ！お前にまかせたからな！
ブロロロロ
ガキの剣道相手かめんどくせえなあ！
くそ！
亀戸署との交流試合も近いし練習かねていい機会ですよ
わしに練習など必要ない！

用
亀戸署では全国大会で上位に入った人を引き抜いたらしいわよ
わしは世界大会に出ても勝つ! レベルが違う!
そういえば署長が 今回優勝したら食事をおごると言ってましたよ
なに本当か!
銀座でフランス料理のフルコース!
フ…フランス料理か…苦手だな……
ポール ボギューズさんがひろめたヌーベル キュイージーヌがフランス料理の主流よ さっぱりとしてすごく美味しいわよ
要するに素材を生かした日本的な感じのお料理よ!
本当か
味のうすいクリームたっぷりのやつだろ
今のフランス料理は違うわよ
じゃイセエビの塩焼きみたいなのもあるのか!?
グリルもあるわよ お肉の炭火焼きなんか美味しいわよ
それをきいて元気100倍!
さっそく剣道場に行こぉっと!!

4時からですよ稽古は！
ちょっと練習もしてくる

私も一緒に行きますわ

げんきんだなあ先輩は！
優勝カップよりも食事に価値があるのね！

きのや

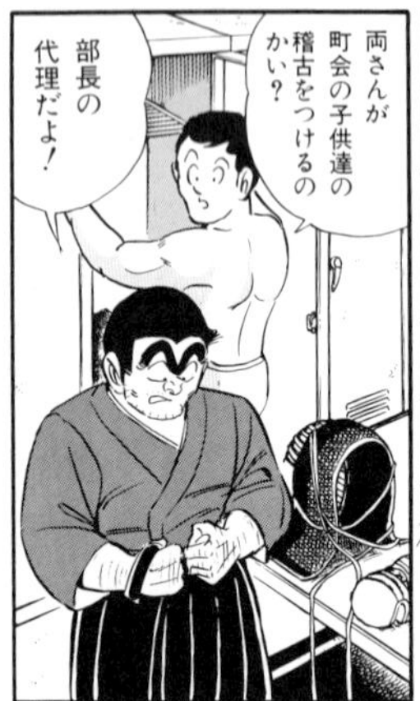
両さんが町会の子供達の稽古をつけるのかい？
部長の代理だよ！

今回だけ
わしが剣道を
教えてやる
よろしく
おねがい
しまーす

かかり稽古を
やるぞ
えー
えー
いつもは
打ちこみ
50回して
からだよ
ザワ
ザワ

それは部長の
やり方だ!
わしには
わしの
やり方が
ある
部長の
たわ言など
すべて
忘れろ!

わしの流儀は
勝つ事だ!
何がなんでも
勝たねば
いかん!
わかった
か!

一番大きい
お前!
わしが
相手して
やる!
は
はい!

面!
面!
パ
パ
全然
だめだ!

力が
まったく
入ってない!
もっと
こしを入れて
相手に
ぶつかるつもりで
かかってこい!
コン

力は
技をも
制す
今
見本を
示すから
見ていろ!

うおりゃ

どう!!
うわ

ひゃあ
バキッ
うわっ

見たろ！
わしの剣の前には
どんな防御も役に
立たん
部長の言う
小手先の
テクニックより
腕力だ！
わかるな！
戦国時代は
切るか切られるか
作法などより
強さだ！
相手がよろいで
身を守ろうと
わしなら
一刀両断にする
自信がある

うで立てふせを
するとかして
まずは
うでっぷしを強く
する事だ！
グッ

受け身も
教えたいが
相手が…
ん!?

そうだ
マリアは
婦警だから
剣道を少し
できるだろ
え…
ええ

ガキの稽古
手伝って
くれよ！
わしに
打ちこむ
だけで
いいからさ

けっこうサマになってるな
麻里愛
愛
わしにどんどん打ちこんでくれ!
いいんですか?
かまわん力一杯こい!
面!
うお

なんと！
強い！
くそ!!
面がずれる
胴!!
げほっ
うわ
ズダダダ
はげしい剣道だな！
大丈夫ですか？
いててて…

よく考えたら
マリアは武道の
達人だったんだ
忘れてた…
剣道は
15年間
やってましたから…

ぷっ
女に
負けてら
しっ
ピク

あっ ごめん
きこえた？
両さん！
全然
きこえな
かったよ
！

交流試合の
稽古しよう
2人で！
えっ
だって両さん
強いし…
大丈夫だ
手加減
するから！
グイ

ガッ

ぎええ
助けて
まて！
岡田
逃げるな
ドカ
バキ
ドカ
KIRIO
受付
交通安全を
守りましょう

た…
助けて
下さい
きゃあ
民間人に
命ごい
するな!
それでも
きさま
警官か!
ひいっ

こら!
逃げるな
戦え!!
わしが
本当の
剣の道を
教えてやる
ひえええ
助けて
署長!
止めないん
ですか?
両津がいないと
優勝は不可能だ
見て見ぬフリを
する…

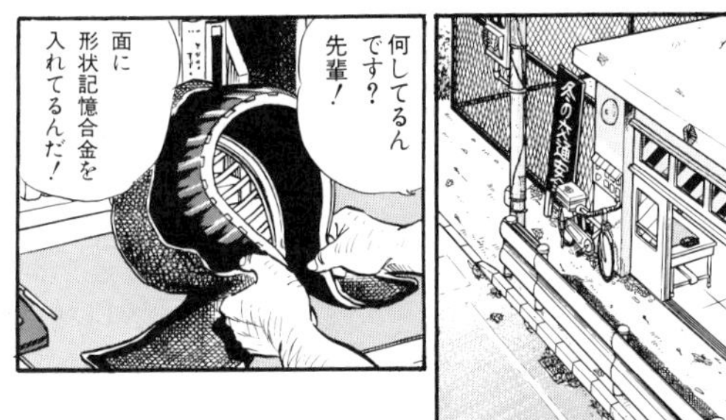
何してるん
です?
先輩!
面に
形状記憶合金を
入れてるんだ!

ヒモだとゆるんで見づらくなる！
形状記憶合金を全体に入れてギュッとしめつけるように改造した

面がずれて負けたら食事がパアだからな
食事にかけてるんですね

葛飾署
亀戸署交流剣道大会

面
ぎえっ

面あり！葛飾署の両津巡査長の優勝!!
ワワ
パチパチパチ

よくやった両津！
こっちもだいぶ打ちこまれましたよ！
パチパチパチ
両津

朝から 食べて
ないから 力が
入らなくて
フランス料理が
待ってるぞ
わしらは先に
行ってるからな
両津
ありゃ?
選手控え室
面が
とれんぞ
え!?
おかしいな
さっきまで
ちゃんと作動
してたのに
ひやし方が
足りないんじゃ
ない?
ゲイ
ゲイ
力まかせに
とれま
せんか?
いててて
首が抜ける
だめだ!!
ゲゲ
面をバシバシ
打たれて
記憶合金が
記憶を忘れた
かもしれん
とにかく
食事に
行くから
着がえないと
なんか
ものすごく
変よ!
やはり
胴着を
つけてないと
不自然ですね

こうなりゃ力まかせに!!
グ グッ
くそ！こいつめ！

あいたたた！よけい熱を持ってしまる！
ムチャしないで下さい
ギ ギ ギ ギ

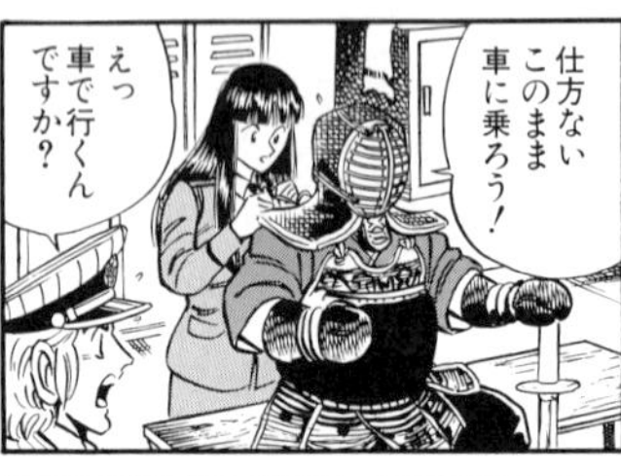
仕方ないこのまま車に乗ろう！
えっ車で行くんですか？

だめなのかよ!?
今の時間ラッシュのピークですよなん時間かかるかわかりませんよ

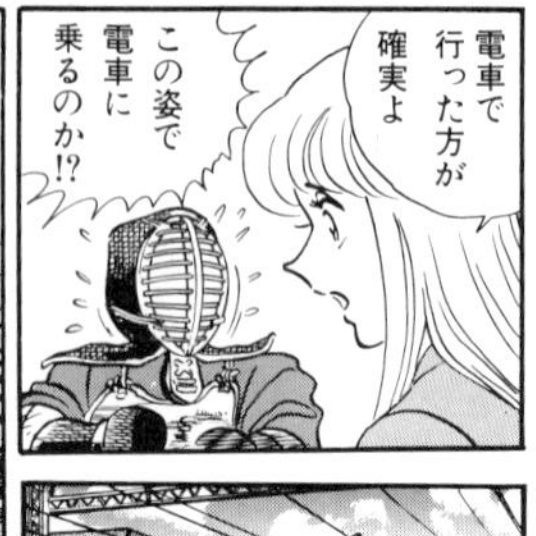
電車で行った方が確実よ
この姿で電車に乗るのか!?

くそ！わしのまわり誰も寄りつかん
やはりちょっと不気味かもしれん
ガタン
ガタン

えーと
銀座の
七丁目か…
この地図
どうも
わかりにくい
カラーン
カラーン
ちょっと
道を
たずねる
が…
サッ
くそ!
逃げる事
ないだろ
パシャ
パシャ
オー!
チャンバラマン!
店に電話して
場所をきこう
ハラがへって
目がまわって
きたよ
ピッ

写真を
とるな!!
見せ物じゃ
ないんだ
ぞ!
ウワッ

もしもし
フランス料理の
「ポアトリン」か
場所を
ききたいん
だが…
え?
何!?

ちくしょう
全然 きこえん
面が
あるから
一方通行だ
ガチャ
交番で
きくか！
道案内の
プロだから
な！
おい！
ちょっと
きくが！
スイ
うわっ
ドキ
強盗か
きさま！
何者だ！
ガッ
こんな姿の
強盗がいるか
バカモノ！
同業者だ!!

なぜ そんな姿で
来たんです!?
いろいろ
深い事情が
あってな
カラン
コローン
ここです！
このかっこうで
入るのは
気がひける
な…

堂々と入ればいいだろう
ハァイボンジュール!

あのお客様
やっぱりな!

両津遅いな!
もうすぐ来ると…
なんだよ!

ここで待ち合わせてるんだ
本当だって

来たようです…
なんて事だ…

笑わそうとそんな姿で来たのか?
あ 部長こいつらに知り合いだと言って下さい

あやしい者じゃありません・・・こういう男なんですこいつは!
しかし…当店ではノーネクタイでの入場は…

わしは両津流
剣法の剣士だ!
剣士にとって
この姿が正装だ
タキシードと
同じだぞ

まだ文句
あるなら
ネクタイを
しめてやるよ!
わ…
わかり
ました…
どうぞ
中へ!

お祝いを
してやるのに
なんのマネだ
!
だから この姿
なんですよ
野球選手だって
優勝祝いは
ユニフォーム
でしょう!
まぁ
とにかく
カンパイを
しよう

葛飾署の
剣道V3を
祝って
かんぱい
かんぱい
カン

やっと酒が
飲めるな!
ん?

面ぐらい
はずしたら
どうだ!
いやあ
髪が
ボサボサで
はずかしい
もので

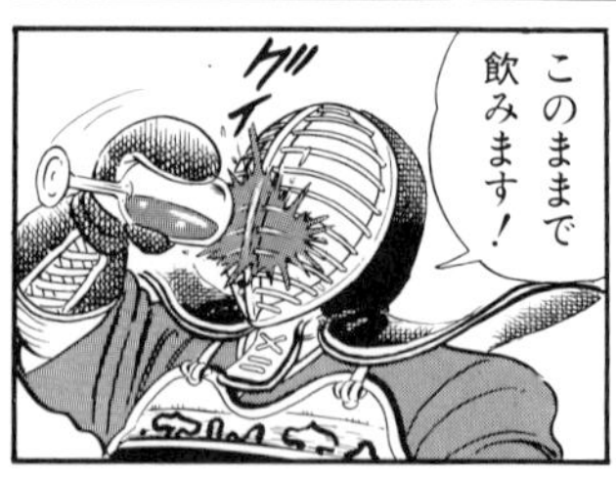
このままで
飲みます!
グイ

ぬお！鼻に入った！
ゴホゴホゴホ
まったく！

大正エビのグリルです
やった待ってました

さあ食べるぞ！
うっ！

すいませんミキサーかしていただけますか
ミ…ミキサーですか？

肉もエビも味が全然わからないドロドロしてまずい
大原くんみんなこのテーブル見に来るぞ
こんなやつのために祝賀会を開いたかと思うとなさけなくなる…
ズズ～
ズズ～
パシャ
ガヤ
パシャ
オーサムライ
ガヤ
ガヤ

★週刊少年ジャンプ1990年53号

人気漫画家を目指せ！の巻
警視庁　亀有警察署
南亀有派出所
南亀有三丁目
警察官募集
警察官募集中
山本医院

精密金型
金型製作
西井加工所
TEL 03 (300)-XXXX
TURBO WAGON

今日もひえこむな
そうですね

おや!?
関根出版

本が大量に捨ててある
本当だ!

全部返品でこまっている所だよ両さん!
なんだおやじいたのか
本が全然売れなくてね
倒産寸前だよ
こんなもん売れんぞ
世界のペン先
一家に一冊
やっぱりそうかなぁ
若者にうけるのを出さなきゃだめだ!
例えば?
安くていつでもどこでも読めて面白い!
どんな不況にも強いぞ!
ズバリ漫画雑誌これは売れる!
えっマンガ!?

でも雑誌作りは大変だろ
ははは
実に簡単だよ
まず漫画家を選ぼう!
まず! 人気のある星ひかると青空はれる
パラ パラ
次 こっちの本からポップ山下と十文字正玉袋なぎさ空たかし
超一流の人気漫画家ばかりですね
このメンバーなら絶対売れるだろ
100%売れますよ!
じゃあさっそく頼もう!
え!?
もしもし編集部か!?
星ひかるの電話番号教えてくれ
理由!?
むろんうちの雑誌に描いてもらうためだよ

教えられないだと!
ちょっと待て! あっ

ちくしょう切りやがった
ガチャッ
いきなりムチャですよ!
資料

出版社と専属契約してる例が多いですからね
人気歌手にいきなり「うちでレコードを出さない!?」ってさそってるのと同じですよ
せっかく育てた人気作家は出版社が放しませんよ
汚ねえなあ
あっ ポップ山下確か中川の友人だろ!?
えっ

まぁ知り合いですけどね
本当ですか
やった

電話しろよ! 早く
無理だと思いますよ

わしが
交渉
するから
任せろ!

もしもし
中川だけど
・・・
ある人が
話したい
らしいんだ

早く
かわれ
早く
一応
話だけは
聞いて
くれる?
とにかく
かわるから

もしもし
こんにちは
中川の上司の
両津です

今度
うちで雑誌
出すんだけど
さあ
描いてくれる?
巻頭カラーで
100ページ!!
そう!
100ページだよ
明日の
朝までで
いいからさ!

え!?
ムリだって!
じゃあ
あさってまでで
いいよ!
スケジュールが
いっぱい?
すき間
あるだろ!?
あんなもん
チョイチョイと
描けるだろ!
プロなんだから!

こっちが下手に出てりゃなんだよ！おい！
描けるだろ！描けよバカ！
悪かったね気にしないで！じゃあ
話がすんでないぞおい！
ムチャ言わないで下さいよ先輩
20分で一枚描きゃ2日で楽にできるだろ！
どこにムリがあるんだよ！
漫画原稿はまず編集者との打ち合わせが先ですよ どういう内容でやるか綿密に打ち合わせるんです
打ち合わせが終わったらそれをネーム（絵コンテ）にするわけでそれがなん日もかかるんです
ネームを元に さらに打ち合わせをし時間をかけて原稿の元を作り上げていくわけです
これでいこうとまとめてからいよいよ下描きに入るんです
資料の山
そしてペンを入れて やっと原稿が完成するわけです
そんな事だから遅いんだよ！・・・いきなりペン入れでいいんだ！
ここで主人公があばれるうお～～っと！
カリ カリ カリカリ

※両さんの描いた漫画は コミックス59巻「両さんの漫画修業の巻」に掲載されています。

両さん
まずいんじゃ
ないかな?
ガッ
大丈夫
わしに
任せろ!

訴えて
きたら
むこうが
マネしたと
言いはる
自信がある
そういう
争いは
わしが得意と
するジャンルだ!

そっくりに
描く新人を
さがすのが
大変だろ
それも
心配
いらん

同人誌の
集会に行き
上手なやつを
わしがスカウト
してくる!
何から
何まで…

両津が
漫画雑誌を
出すだと!?
よく言えば
中小企業
救済なんですがね

ヒットさせて
大もうけを
するのが
ホンネですよ

先日
漫画マニアを
20人ほど
青田買い
して来た
そうです
いろいろ
手を出す
やつだ

(有)関根出版
印刷
製本

一冊
1,000円だと!?

経費が
これだけ
かかるからね
紙代 20万円
印刷代 15万円
製本代 15万円
原稿料 100万円
(1ページ 5,000円)
X 200ページ
100万円
総額
150万円
その原稿料が
高すぎるぞ

カラー印刷とか
けっこうコストが
かかってね
そのくらいは
とらないと
元が…

一ページ
10円くらいに
しろ!
それじゃ
気のどくだよ

現物支給で
一ページにつき
チョコ一枚で
どうだ
誰も
描いて
くれないよ

一番けずれるのは原稿料なのに…
何かいいアイデアは……

そうだこの手がある！
円
円
円

出版社でなく漫画スクールにしてしまえばいいんだ！
えっ学校に!?

やり方は同じだ！授業として漫画を描かせればいい
完成原稿は課題作品としてこちらがもらう！

そして漫画スクールとして授業料をしっかりいただく！
そのお金を印刷・製本代にすればタダで本が作れる！
稿料
5000円
200ページ
100万円
なるほど！

生徒は自分の漫画が本に載って喜ぶ！
こっちもタダで本が作れて喜ぶ！みんな大喜び！
すごい発想だ
魔法の経営法だ

集めた20人を生徒にして両津漫画スクールは開校した
100% プロになれる!!
両津漫画スクール
ヒットする漫画の描き方
両津漫画スクール
授業料 年間1万円
新設
両津漫画スク

なんか最初の話と違うな…
でも授業料が安いからいいや
そうだね

ハロー私が講師のジョン両津です
漫画
ついて
100%プロになれるからがんばるように!

始めに二年分の授業料一万円集めます
すみやかにはらうように

まず紙を用意しましょう!
はい先生あります

だめだ！
その紙は!!
ひえっ！
ビビビ

両津漫画スクール
プロ用原稿用紙
1まい 500円
10まいセット(5.000円)
ちゃんとスクール指定の紙を使うように！

恐ろしく高いな…
10円の画用紙みたいだ

私語はつつしめ！
ビビビ
ひえ！

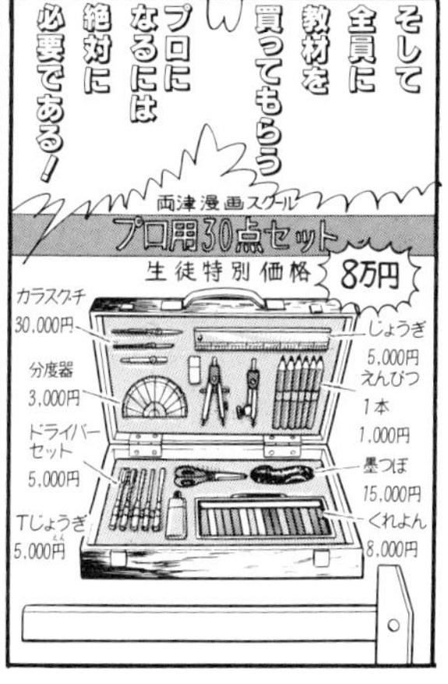
そして全員に教材を買ってもらうプロになるには絶対に必要である！
両津漫画スクール
プロ用30点セット
生徒特別価格
8万円
カラスグチ 30,000円
じょうぎ 5,000円
分度器 3,000円
えんぴつ 1本 1,000円
ドライバーセット 5,000円
墨つぼ 15,000円
Tじょうぎ 5,000円
くれよん 8,000円

8万円か高いな…
ガヤ
エンピツ一本1,000円もするのか…
ガヤ
分度器なんか使うのかな？
ドライバーも…
私が厳選したすばらしい品ばかりだ！

あの絶対プロになれるんですよね
なれる必ず本に載る！
ならば多少高くても我慢しよう
いい品物を使えばいい作品が描ける！
先生ぼくの作品見て下さい
よろしい！
つまらん！
ひっ
すぐ落ちのわかる漫画描くんじゃない！
死ぬほどつまらんぞバカモノ！
私がすばらしい原作をあげよう
スラスラ
100ページの大作だ！

これで100ページか…
100ページ原作
かっこいいヒーローが
てきをたおす!
完

先生トーンが安く買えるんですよね
そうとも
スクリーントーン
スクリーントーン 特価100円

生徒だけの特典だ
カチャ
じゃあ61番を10枚下さい
ぼくは20枚
ワー
ワー

ズン
はい10枚

こんなに小さいんですか
小さい部分にはりなさい
まるで切手だ…

スクール特製の両津トーンは大きくて安いぞ!
両津トーン 1まい2000円
RYOTU-TONE
パターンがひどい…

なおすべて作品は両津ブランドを使う事! それ以外は無効とする
両津画用紙 一枚 3,000円
両津トーン 一枚 2,000円
両津ペン先 一本 15000円
両津ペン軸 一本 15000円
両津ホワイト 一個 10,000円
両津カッター 一本 20,000円
た 高い
ガヤ
ガヤ
一作描くのに10万円はかかる…

君達はまだデッサンがだめだ！
これからデッサン人形を配る！
第一期生募集中
両津漫画スクール

Gジョーでも配るのかい？
あんな貴重品配れるか

これだ！
名づけてデッサンくん一号！
ババン

のろいのワラ人形みたいだ…
中にハリガネが入っていて自由に動く

続いてデッサン2号！女性！
全然変わらない

動物の馬もある
まるでお盆だよ

顔のデッサンに必要不可欠オカメくん一号！
これで表情の研究をしなさい
あんな物が…
役に立つとは思えない
ガヤ
ガヤ

そしてついに
創刊号が完成した
少年まんが野郎
ナイスなマンガがズラリ
創刊号

わしが描いた
表紙がいい
これは
売れる
絶対
売れるよ!

しかし　いきなりの
週刊誌はどこの取次店でも
相手にされなかった

亀町駅
駅売りでさばこうと
したが　まったく売れず
またもや返品となって
しまったのであった
本日発売
少年まんが野郎
180円
少年まんが野郎
創刊号

こんな
わけのわからない
本に載ってても
うれしくない!
プロには
なったぞ
君らは!
もっと
メジャーな
雑誌に
載せろ!
授業料
返して
もらうぞ

わかった
なんとか
しよう
当然
だ!
大丈夫かい
両さん?
ちょっと
計算が
違って
来た!

100
両津漫画スクール
プロになれる!!
津漫画スクール
ットする漫画の描き方
授業料 年間1万円
祝
両津漫画ス

これに載ったの!?
すごい全員載ったぞ!!
少年ジャンプ

私はうそはつかんよ
わはは
わあ
ガヤ
ガヤ
本当に載ってる!
やったあ

外で買ってこよう!
こらいかん!

たぶんもう売り切れだ
いいじゃないか一冊で

なんかおかしいな
ガヤ
ガヤ
表紙に名前が載ってないし…
なんか紙質が…

あっ
そっくりに印刷してはりつけただけだ!
少年ジャンプ
週刊少年

インチキだぞ
ちゃんと載ったじゃないか!
授業料返せ!

インチキ商法で両津漫画スクールは
わずか一ヵ月で廃校になった そして
生徒に全額 お金を返し 大損した
プロになれる!!
100%
両津漫画スクール
ヒットする漫画の描
授業料 年間1万円
新設
両津漫画
ムチャクチャな
やり方ですよ
先輩は!
まったく
だ!
きゃあ
たすけて
頼むよ
麗子
水着の写真
とらせてくれ!
写真集なら
元手が少なく
本が売れるんだ!
中小企業の
救済に協力を!
余計
借金が増えて
以前より経営が
苦しくなった
ようですよ

★週刊少年ジャンプ1991年13号

水の中の忠治の巻
30

有公園前派出所
秋の交通安全
区営にしては豪華な水族館だな
葛飾区営水族館
11月オー
魚類が100種類
そこのオープンセレモニーにぼくたちが協力するんですよ
一体何をやるんだ?
派出所のメンバーで水中劇をやってほしいとの事だ
ちょっと待って下さいよ出来るはずないでしょ!
署長命令だ! わしは監督として見守っていてやる
水中バレエでもやれと言うんですか?
内容は決まってるんですか?
いや! 例えば交通安全をうったえるような劇などいいかもしれん
それならズバリ「国定忠治」これに決まり!!
どこが交通安全なんだ!

知り合いの
スポーツクラブに
大きな
ダイビングプールが
あります
じゃ
そこを
かりるか?

スポーツ　センタ

ビニール製の台本だから水中でも読めるぞ！
じゃあそろそろ中に入りましょうか！
国定忠治
国定忠治

衣裳も用意してきた！さっそく着てみよう！

これを着て泳ぐのか難しそうだな
ボンベはつけちゃいかん！

ボンベは物かげにかくしてこうやって吸う！
ボンベがないと体が浮いちゃいますよ

そのためにこれを作った
ズシ・
鉄の・・・わらじだ

お前たち
下で
見てろ
今
見本を
見せてやる
あっ
立った!!
ズン
歩いて
いるわ
さすが
上手だな
ガシャ
ガシャ
水中とは
思えない
動きね
地上と
変わら
ないよ!
ガチャ
ガチャ
全然
浮上しない
わよ
いやあ
さすがだ
ガチャ
ガチャ
え!?
ひょっと
して!!
大変だ
おぼれて
るぞ!
早く!
ドドン
わらじが
重すぎて
全然
上がらん
ボンベから
あんなに
はなれちゃ
危険ですよ!
はあ
はあ

今度は
大丈夫だ！
全員
入るぞ！
言葉が
わかりま
せんよ

水中スピーカーの
テープの声に
合わせて
動けばいい！
なるほど

第一話
チャンバラ
シーン！
役人たちが
忠治に
切りかかる
「忠治
ご用だぁ」
「ご用だ」

忠治
ジャンプで
かわす！
さすが
水の中は
動きが楽だ

えい
空中
二回転!!

忠治
反撃
円月
殺法！

うわあ
目が回る！

ありゃ
!?

きたねえ
ゲロはきやがった！
きゃあ

なんて事するんですあなた方は！
バカ
水の中ではくな！
先が心配になってきた

区営水族館

営水族館
『開館セレモニー水中劇』
特設会場にて午後1時より 協力・葛飾署

すごい
マグロの
大群だ!
高速での
泳ぎが
見れるんです
速いでしょう!

この館は円形に
6か所のエリアに
わかれて見やすく
なってます
すべての
水槽がひとつに
まとまって循環
してるんです
なるほど
いろんな
魚が
いるもんだな
100種の
魚類が
いますからね

なんだ
メーターが
ついてるぞ
これは
電気うなぎ
ですよ

こうして
おこらすと
電気を流す
わけです
コン
コン
こりゃ
おもしろい

あっ
サメだ!
近くで見ると
迫力が
あるでしょう
みなさんに
使っていただく
水槽は
こちらです
かなり
広いな!
世界の
珍魚など
入れる予定の
水槽です
イルカショーなど
でも使えるように
しました
上にライトが
ついてるのか!
こちらの
水槽に
いるのは
スズメダイ
です
劇が終了
した時に
しきりを
とります
スズメダイが
いっぺんに入って
まるで雪が
舞ってるように
見えますよ
すてき!
いい
演出
ですね

あと3時間ほどで開場しますのでよろしくお願いします
わかった まかせておけ!
じゃ さっそくセットを組んで準備をするか!
大がかりな大道具もありますからね
まもなく葛飾署協力の水中劇が開演されます
御席について お待ち下さい
期待ができそうだな!
そりゃ もう特訓しましたから!
あっ!
あれは
人魚だ!
すごいきれいだ!!
オーー

いきなり美女を出して子供とおっさんの目をくぎづけにする
さすがうまい演出だ！
ん？どうかしたのか？
ザバシャッ
足が急につっちゃって！
なに？始まったばかりなのに！
あーりどうしたー出せー
どうしましょう先輩？
うーーむ
よしわしがかわりに入る！
え？
バッ
おーーーっ出た！
何か変だぞ
うわっ男だ！
なんだありゃ
クルッ

こら！
さっきの
女性を
出せ！
インチキ
だぞ!!
ガラスを
たたくな
!!
うわっ
ズルッ
あっ
しまった！
きゃーっ
あの
バカ…
警察の
ハジだ…
よい子の
みなさん
ブロロロ
信号は
よく見て
わたろう
ね！
車を
水の中で
走らせる
とは…
う――む
けっこう
やるじゃ
ないか
続いて
国定忠治が
始まるよ！

赤城の山もこよい限り
雁が鳴いて南の空に飛んでゆかぁ
パチ
パチ
パチ
パチ
スズメダイを出さないと
オロ
オロ
えーとどのスイッチだっけ！
これだ！
パチ
ウィイーン
ん!?
ふせろマグロの大群だ！
えっ
うわ
ひやあ

すごい
演出だ
きれいだ
なんで
こんなのが
来るんだ
くそ!
大変だ
元に戻さ
ないと
パチ
パチ
パチ
電気うなぎ
ふう
やっと
いったか
電気うなぎ
だあーーっ!
早く
あがれ!
うわ
先輩
あれは?
えっ

どうも様子がおかしい
おい両津!
ドドン
部長たたいちゃだめ!!
ぎえええええ
ビビビ
間一髪で助かった
シュウウウウ
先輩が!
両津どうかしたのか!
だ…だめ!
ドドン
たたくと…電気が…
で電気止めろ!
やめろ!こいつ!
ギュッ
バ
シャッ
あ
なんだ?

電気うなぎですよそれ！
なに!?

体中しびれちまった
くそ流されちまう！

すごい迫力だ
狂暴そうなサメだな

あっ
うわっ人が!!

えらい所に出ちまった

さっきの車だ
助かった

ガ
チャ
この中なら安心だ！

よくも驚かしやがって!
ググッ

ブオオオム

どけどけ!
このまま安全な所へ移動する
グオーン

お巡りさんがサメの水槽に!
なに!?

ぬおさっきのマグロの群れが!!

ぬおっ

まるで
散弾銃だ
くそ！
車が
バラバラ
だ
まだ
いやがったか
てめえ！
ドドドドドドドドドドドドドドド
ここで
戦って
やるぞ！
うわっ
ガシ
こっちだ
こっち！
ガヤ
ガヤ
ワー
あっ
サメと
国定忠治の
立ち回りだ
見てないで
早く
助けろ！
ドカ
ワー
ワー
プロレスより
迫力がある

正当防衛とはいえサメやシャチなど20頭もケガをさせてしまったからね
ワニやピラニアとも戦ってたわよむろん勝ったけど…
そんなわけでしばらく水族館にいるらしいよ
とんだ開館セレモニーになったわね
部長もうカンベンして下さいよ
サメたちのケガがなおるまでお前が代理をずっと続けるんだ!
珍魚
ワハハハ

★週刊少年ジャンプ1990年49号

バッカス両津！の巻

キィィッ
おはよう!
おはようございます!
部長なんですそれ!?
去年からずっと注文していてな
昨日やっと届いたんだ
ゴソ
「腰の寒梅」だ
名酒
腰の寒梅
なんと!
あの幻の名酒と言われる日本酒!

よく手に入りましたね！部長！
知り合いの業者にずっと頼んでいたんだ！
一般にはなかなか売られない名酒ですよ
わしも本物を見るのは初めてだ！
見るからにおいしそうですね
まだおあずけだぞ！

みんなで花見に行った時に開けよう
桜を見ながら飲めるわけか！
いやあ楽しみだ

派出所の花見は来週ですよね！
その予定だが…

テレビで今年は場所とりが大変だと言ってましたよ
本当か！

毎年花見客の数が増えてますからね
場所がないとできんからな

運が悪いとトイレのとなりで花見をするハメに…
うーむそれもこまるな…

まだ桜が見れりゃいい方で中には公園の階段で酒盛りしてる連中もいますよ
全然花見じゃないな…

そこで私独自に調査した結果…
ガサッ

東京都の花見可能な地区は!
このようになってます
両津花見企画社
水元公園
亀戸緑道公園
隅田公園
飛鳥山
上野公園
靖国神社
井の頭公園
千鳥ヶ淵
東京
新宿御苑
等々力溪谷
駒沢公園
洗足公園
東京ベイ
多摩リバー

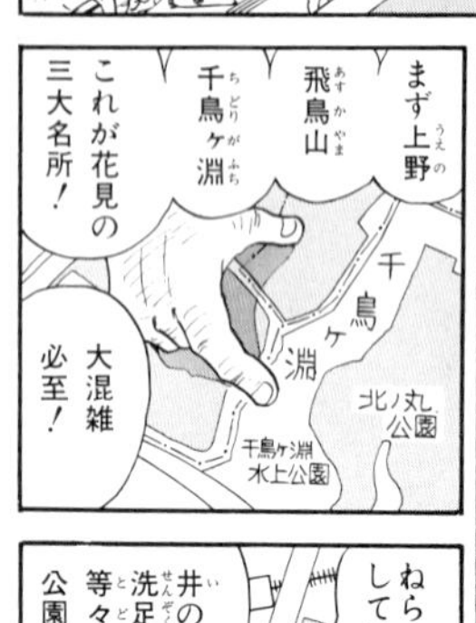
まず上野
飛鳥山
千鳥ヶ淵
これが花見の三大名所!
大混雑必至!
千鳥ヶ淵
北ノ丸公園
千鳥ヶ淵水上公園

ねらい目としては
井の頭公園洗足公園等々力溪谷公園など…
等々力溪谷公園
野毛(一)

まず どこで
花見を
やるか
決めないと
ダメです
今年は
どこに
します
部長

場所が
とれるのか
!
私なら
とれます
両津花見企画

ただし
1メートル四方
1,000円の料金を
いただきます
お金を
とるん
ですか!

あたり
前だ
!!
タダで
花見を
やるとは
図々しい!

花見は
ライブイベントだぞ!
桜を見に集まる
コンサートみたいな
もんだ!
よりよい
場所を得る
ためには
金がかかるのは
当然だ!

両・津・花・見・
企・画・社では
すべてがS席
桜がよく見える
厳選した場所
だけを提供する
S 席

さらに
申しこみの
全員に!
両津さんの
楽しい
トークと
裸おどり
つきだ!

上野で来週の日曜日だ!
ちょっと待って下さい

金土日は平日の5割増しです
スケジュールがいっぱいですから
パラ パラ
うーむ仕方ない

そんないっぱい場所をとるんですか!!
連日が花見だからな!

すでに40件の依頼がある場所が押さえてあれば当日安心だからな
確かにそうですね

春先だけの短期商売だけにどうしても集中する
桜が散ったら商売も終わりだ

一人でそんな なんヵ所も確保できるんですか?
心配ないそこもちゃんと考えてある

お金とタダ酒も飲めて一石二鳥ね
そのとおりすばらしいアイデアだろ!
ポン!

8人ですと
5m×5mは
必要ですな
じゃあ
5メートル
にしてくれ
上野公園
5×5

37,500
円です
前金で
下さい
よく
あんな事
考えるな

春の交通安全週間運動中

君達
新人に
集まって
もらったのは
ほかでもない
これから
重要な任務を
あたえる!
警察官 募集

花見の
場所とりという
名誉ある
仕事だ!
誰でも一度は
この道を通る
そして
一人前に
なるのだ!
少年課
民生課

桜の木の下！これが一番のポイントだ
ここをまず確保せんといかん！
S席

ただシートをおくだけでは風でめくれる場合もある
このように四すみを石でとめ荷物を置き自分の場所だとアピールする事が大切だ！

持ち場を一瞬でもはなれてはいかんぞ
そのスキに図々しい連中が来て場所をあっさりととられる

むろん私服で行動する
明け方はひえるから毛布を持参するように！
交通

宮地！田中！上野公園だ！3日後の金曜までこの地区の場所を確保しろ
え！今から

上野の山は激戦地区だ！
今からでも遅いくらいだ！

石にかじりついてもその場所を死守しろ！
雨がふろうと守りぬけよ！
は はい！

先輩！場所とりが禁止されていたらどうします!?
いい質問だ！
桜の陰からその場所をずっと見守る
これが星明子作戦だ
もしもとられてしまったら？
この奥の手を使う！
げっうんち！
作り物だ！
これをまわりに置いておけば誰も近寄らん！
交通
それでもダメな場合は自らゲロをはく
四方八方にばらまけば絶対確保できる
何事もこのくらいの意気ごみでやらねばいかんぞ！
ははい

すごい人出だな
どこも空地すらないわね

場所は大丈夫なんですか先輩!
安心しろ!

見ろあそこだ

あっ先輩!確保しときました!
うむごくろう

君の任務は終了だ!
はい!
ポン
あとですしをおごってやる!

えっ
5日前から
泊まってたの
！
上野の山は
並じゃ
とれん！
後輩が
先輩のために
つくす！
これは
人間の
条件だ！
あの人
かわいそう

いい場所
ですね！
ここは！
最高の
S席だ！
当然だよ
部長さん
遅いわね
「腰の寒梅」
さえあれば
部長は
いらんよ！

バッグに
そんなのが
入ってた
のか！
フォンデューを
やろうと
思って！

お花見は
いつも
ワンパターンで
さみしいでしょう
道具が
すごいな

ゴザの上で料理道具を並べられるとママゴトやってる気になるな
そうですね

むこうはバッテリーやプロパンを持ちこんでますよ
ジュウウウ
キャンプじゃねえぞまったく!

うわっ
あっ
ガシャ!!
あっ「腰の寒梅」が!!

バカヤロなんて事しやがる
ごめんなさい!

全部こぼれた!
もったいねえ!

幻の日本酒なのに!
先輩あぶない
チュウチュウ

いてて!ガラスがささった
あたり前よ!いやしいわね

部長が楽しみにしていたのに!
高級酒を地面に飲ませちまったくそ!
すいませ〜〜〜ん
ゴザをしぼれば飲める
ギュッ
ギュッ
いじきたないわね
どうです?
畳のダシがきいてうまくない!

何をする気だ両津?
ごまかすんだよ!
ビリ
ビリ

ラベルを普通の酒にはりかえりゃわからんだろ
ペタ
外見はなんとか

飲めば すぐわかりますよ 部長 お酒に詳しいから
部長だって初めて飲む酒だ!

飲む前にキムチだのからい物をいっぱい食わして
口の中をバカにすりゃ気づきゃしないよ!

何が気づかんのだ？
あっ部長
ドキッ
部長！お待ちしてましたよ
どうぞどうぞ
いい桜だな！
もう最高ですよ！

さっそく「腰の寒梅」でカンパイといくか！
寒梅でカンパーイなんちゃってはは…
ははは
かんぱーい
カキーン

グイ

ん？

うまい!!
さすが名酒
ピク
この普通っぽい所がいいな!
なっ
なっ
そのとおりです!
最高ですよ
ねえ!部長
普通っぽさがいいですね
う…むそうだな
普通っぽいのが名酒の特長だな
そのとおり!
さあ安心して食べよう!
部長!辛いのジャンジャン食べて下さい
うむそうか
力で押し切る所がすごい!
おっ
ピー
ピー
部長!ちょっと失礼します
どこに行くんだ!

今日 上野に12組のお客が花見に来てるんです
主催者としてあいさつしてこないと
そんなに来てるのか
なんせ「楽しいおしゃべりと裸おどりつき」ですからね
すぐ戻ります
いがいに責任感があるな!
お金にはしっかりしてますからね!
みなさんお待たせ
両津が来た
待ってたぞ!
ワァオー
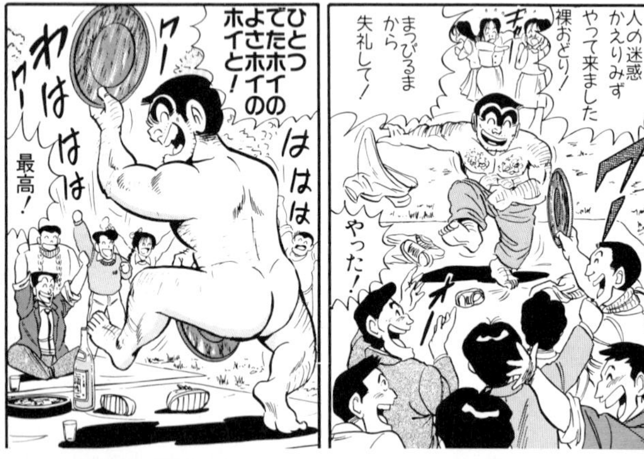
人の迷惑かえりみずやって来ました裸おどり!
まっぴるまから失礼して!
ギャー
ワァオー
やった!
オー
ひとつでたホイのよさホイのホイと!
ははは
わははは
ワー
ワー
最高!

両津花見企画社は大盛況で
宴会を 10秒でいっきに盛り上げる
パフォーマンスは好評だった

その飲みっぷりと芸の広さで
他の花見客からも人気が出て
有料で芸の出前もした！
夜桜見物の時は朝まで踊りまくり
商売は大いそがしであった

すでに先輩は
ドラムカン2本分は
酒を飲んでます
戦車並ですよ
一升ビンの
いっき飲みは
毎日ですからね

宴会が終わって
帰ってから
また晩酌するんですから
信じられ
ませんよ！
どういう
体の構造
してるんだ

今 吐いて
胃をカラに
してるんです
よ
ゲ～
ザー
ザー

さっぱり
した！
今夜も
花見に
行くん
ですか？
当然！

今夜は20組だからな
がんばらないとな
パコッ

ゴク
ゴク

ようし元気が出た
うおおおっ
全然酔わんやつだ…

すごいいけるぞ!
うお!やったあ!
ゴクゴク
オー
ワオー
すげー

中華ナベのいっき飲みでした!
カァーッ
おそまつ
オー
ワオー
すごい

両さんのいっき飲みは中華ナベからポリバケツまで 大蛇のごとく飲みほすので大盛況だった

※ギリシャ神話の酒の神様

★週刊少年ジャンプ1991年17号

省エネ大作戦(しょうエネだいさくせん)!の巻(まき)

あと この報告書なんだけど…
早くしろよ! 寺井!
引きつぎの説明をちゃんとしないと
時間がかかりすぎるぞ!
これてきとうにやっとけ! わかったな!
は… はい
これでいいんだよ! 3秒で終わったぞ!
し… しかし
おつかれ様です
おう あばよ
秋の交
ブロロロロ

仕事が終わった後の解放感は最高だね

ありゃ!?
キッ

何かあったのか?
寮に払う電気代が倍になるんですって!

ばあさんそりゃないだろ
もう決まっちゃったんだよ!

昔はテレビくらいだったけど
近頃は いろんな家電品を使うだろ 夜中も
エアコンなんかも電気代がかかるしね

エアコンをつけてるのかお前ら!
え…ええ

バカヤロ!そんなもん使うから値上げになるんだよ!
暑さ寒さなど忍耐力でたえろ!
パコッ
寮も人が増えたしね 5年前と比べて電気料金が倍になっちゃってね

ガス・水道はそれほど変化ないんだけど!
確かに電気製品は増えた気がする

節電しますか?
どうもケチくさくてやだな!

ばあさん電気料金表を見せてみろ!
これだよ

毎月消費量が増えてるな
どこかで漏電してるんじゃねえのか
そんな事ないよ

この4人が入ってから増えたんだよ
お前らの部屋いつも電気つけっぱなしだぞ!
電気など見えんからなイカサマされてもわからん
それにしても高すぎるなこの料金は!
....
わかったわしがなんとかする!
えっ?
他人の家や電柱から盗む気じゃないだろうね
警察寮でそんな事出来るはずないだろ!
まさか両さん!
わしが電気を作る!
えっ電気を!?
家庭菜園だってあるだろ電気も家庭で作るべきだ!
寮全体は無理かも知れんが値上げ分は作ってやる!
本当ですか?

今日から
3日間休み
だからな
その間を
利用して
機械を
つくるよ!

さっきから
何読んでるん
ですか?
寮で使う
電気を
作ろうと
思ってな
ソーラーバッテリ
エレキテル
サイエンス

電気を
作るん
ですか?
簡単な
事だ

電池に
入ってる電気で
モーターが回る
だろ!
ええ

逆にモーターの
軸を回せば
電気が発生し
コードに流れる
自転車の
ランプが
つくのは
この電気を利用
してるわけだ

発生した電気を
使わずニッカド電池
などに充電しとけば
電気が
貯金できる!
なるほどね

ガキの頃
10円玉と1円玉の間に
水気のある吸いとり紙を
はさんでなん個も作り
電気を作った事
あるだろ
銅は＋(プラス)
アルミは－(マイナス)の
極性を持つ
からな

いろんな物から
電気は
作れるが
実用が難しい
豆電球が
つくくらいじゃ
役に立たん
からな

予算は高くつくが
太陽光発電が
実用的だな
寮の屋上
なら広い
からな!
ソーラーバッテリー

ソーラーパネルを
南にむけて
どのくらい
設置できる
かな
南側の
ベランダにも
なん枚か
置いて…

蓄電用の
バッテリーは
車用の12V(ボルト)を
使って…
ぶっ
ぶっ
ずいぶん
熱心ね

よし!
決めた!
これで
行こう!

ちょっと
秋葉原(あきはばら)まで
自転車で
部品買いに
行ってくる
え!?
こんな夜中に
やってないわよ
電気工学

たたき
おこせば
すぐ買えるさ！
知り合いの
店が多い
からな！
わしなら
8割引きで
買えるよ！
ガチャ
午前2時だと
いうのに…
知り合いの
人が気の毒
だわ
バタッ
神白
串崎病院
すごい物を
作ったね
両さん
太陽に
合わせて
角度が変化する
むろん それも
太陽電池で
動く仕組だ

このソーラーパネルで発電された電気がそこの蓄電池にためられるんだ
電気製品をここにつなぐのかい？
すぐ使えないよ発電されるのは直流電気だからな
家庭用はすべて交流電気じゃん！
だからいったんこのインバータで交流にして家庭用100V(ボルト)に変換するわけよ
ここからならふつうのコンセントとして使える
へえ〜
今日は天気がいいからかなり電気が作れそうだ
平均3ワットくらいの発電が出来ればな
なんか本格的だね
ガヤ
ガヤ
まさか本気でやるとは…
両津が電気を作ってるだと!?
けっこう使えるらしいですよ
秋の交通安全

寮の電気代
値上げを機に
ソーラー
システムを
使って!
そういう事は
すぐ頭が
回るやつだ!

なんでも夜間と
曇りをカバー
するために
風力発電装置も
作ったとか
そんなヒマ
あったら
刑法のひとつも
覚えれば
いいんだ!

高層マンションが
出来たおかげで
強風がたえず
ふき続ける
なんでも
利用した
方がいい
両津電力

太陽発電と
風力発電で
値上げ分の
半分は供給
出来た
それは
すごい!
電気代が
安くなったぞ
!

水力発電の
計画も進め
よう!
都会じゃ
ダムを造る
湖なんかないよ
バ
サ
水力発電機計画図

そのかわり
下水がある
えっ
下水を!

ドドドドドドド
うわっくさい!
生活排水はたえまなく流れる自然の滝と同じだ
水量が安定し流れも早い水力発電として理想的だよ
なるほど
ギュッ
よしこんなもんでいいだろ
大丈夫ですかね勝手にこんな事をして
ドドドドド
両津電力
NO.1
ザァァ
ザー
どうせ捨ててしまう水だ廃物利用みたいなものだ
確かにそうですけど…
2号機3号機も設置しろ
いいのかなこんな事して
両津電力
NO.2

かなり効果があったぞ 発電量が30キロワットになった!
このペースでいけば 値上げ分は完全にカバー出来そうだ!
電力会社の電気を止めた
今動いている冷蔵庫やテレビ 照明などすべて自家発電だ
なんか信じられないね
そりゃあすごいね!
オー
オー
しかし自然の力ばかりにたよっちゃいかん!
お前らも電気作りに協力しろ!
非常用として作ったが もしものために 電気をためておこう
けっこう疲れるな
シャカ
シャカ
シャカ
シャカ
ギュイイイ…
ふう もうだめだ
今 発電量を計算してやる
トースターでパン10枚を焼けるくらいの発電量だ!
えっ!? 今ので パン10枚

自分で電気が作れるなんてうれしいな
次！
テレビ一分つけたら終わるぞもっとしっかりやれ！
ひえっまだテレビ一分!?
30分番組を見るのは大変な作業だ
ギュイイッ
太陽発電
風力発電
水力発電
人力発電
あらゆるエネルギーを電気に変える実験をしておる
すごいですね
地熱発電
これはマグマが近くにないからボツ！
潮流発電
これも海岸が近くにないからボツ！
今ほしいエネルギーが朝のラッシュアワーだ
あのエネルギーをムダにしてはいかん！
なん十万人が通る新宿駅の改札を回転ドアにすればかなりの発電量をえられる
入口
水力発電と同じだ！
あと駅の階段！あのすさまじい振動を回転運動に変えればかなり発電できる！
ドドドド
いろいろ考えてるんですね

すっかり電力にとりつかれてしまったな
あっそうだ!
これ署のみんなに協力してもらってるんです!部長も!
なんだそれは?
ガサガサ
ソーラーバッテリーつきの帽子です
横の電池に充電できるんです
一日かぶってればひげそり1回分はたまりますよ
あっそれから
風力発電も協力して下さい
ただのアホだぞ
麗子!そのみかんよこせ!
えっ食べるんじゃないの?
微量だが電気が抽出出来るんだ!
バサ
デパート
チリもつもればテレビだってつく
まさに電気の亡者だ

寮の中でも人が動くたび
すべて電気エネルギーに
変えられていった
人力階段
入場には下のハンドルをまわして下さい
1000回
そんなおり 大風車が作られ
台風をまともにうけていた
ピッチを変えろ！
早く！
風車の回転を
一定にせんと
電力の安定供給が
出来んぞ！
どう
安定させ
るんです⁉
羽の口径の二乗に比例させ
風速の三乗に比例させる
んだ！わかったか！
全然
わかりま
せん！
ゴォォォォ
提防が
決壊したぞ
なに！
お前ら
そこは
まかせた！
あっ
!?
ドドドドド
ギュイイ
すごい
エネルギー
だ！

0.1ワットも
残さず
全部充電
するんだぞ！
はい！
これで
火事でもおきて
くれれば！
熱タービンが
利用できるん
だが！
おそろしい
考え方だ
………
人の不幸をもすべてエネルギーに
変えてしまうほどのえげつなさで
ついに発電率が100パーセントを
こえてしまった
寮は過充電状態であった
両さん
両さん
いくら電気が
余ってるからって
こんなに使う事
ないだろ！
一定以上
ためておく事が
出来ないんだ
仕方ないだろ
近所の人に
わけてやったら
いいじゃないか
だめだ
せっかく
苦労して
作ったんだぞ！

夜も
真昼みたいで
全然ねむれ
ないよ
祭
祭
作りすぎも
考えもの
だな!
生産過多だ

電気を
捨てる
わけにも…
ん!
そうだ

関東電力株式会社
関東電力
えっ
電気を
売る!?

ちょっと
作りすぎてな
直流でも
交流でも
どっちでもいい
確かに
太陽発電は
規則改正で
電気を買う
可能性もあると
言いましたが…
まさか
本当に
来るとは
…

これだけ
安定してる
のでしたら
私どもも検討
しまして…
よし!
決まり
!!

余つた電気を
電力会社に
こつそりと
「売電」してしまう
のであつた

なんか近頃
暗くなった
わね
そ…
そうかな
気のせいじゃ
ないかな!
和風ス

おばさん
電力会社から
通知が！
おかしいわね
電力は
ストップしてるはずよ！

えっ？
領収書……？
な
何かの
間違いだ！
よくある
事さ！

おばさん！
100ワットの
電球がみんな
20ワットに変えて
あるよ！
暗いわけね！
電気は
余っている
はずなのに？
どうして…

君たち
限りある
エネルギーを
無駄にしては
いかんよ
20ワットで
充分じゃ
ないか
ポン
今までと
言う事が
違うわ

売れるとわかつてからは
より強力なエネルギーへと
エスカレートしてゆき
雷のエネルギーをも
吸収するのであった

人工的に
コロナ放電を作り
雷を誘発
するんだ
へえ〜

こちら葛飾区亀有公園前派出所③(完)

★週刊少年ジャンプ1990年50号

解説エッセイ「下町——普通の人の普通の生活」

大槻義彦（おおつきよしひこ　早稲田大学教授）

1

金曜日の午前十時は、研究室の、週に一度のゼミナールの日であった。この日は、教授から助教授、助手、それに大学院生、すべてが一堂に会した。ウチの教授は忙しく、筆者などこの日を逃がすと、しばらく教授の顔など拝めなかったし、研究室での評判もガタ落ちになる。

しかし、筆者は、この大事なミーティングをいつもサボってばかりいた。教授はその都度、まわりの人になげいていたという。「大槻君は東北線で上野まで長時間かけて通っているから、今日も東北線か何かのトラブルでしょう」と。

たしかに当時、東北線はそんなにスムーズに運行していなかったが、それでもゼミを全部キャンセルしてしまうほど遅れることはなかった。実は、私には、ゼミをスッポかす理由があったのだ。
それは、何をかくそう。上野周辺の大道芸人と落語の寄席のためだったのだ。東北線の電車が上野駅に着くと、私は歩いて東大に通った。学バスもあるにはあったが、御徒町に寄って、東大病院を経由するので、時間がかかった。その当時、バスで二十分から二十五分かかったから、歩いて二十分の方が早かった。
そんなわけで、私はまず上野駅から上野の山を越えて、それから弁財天のわきを通って不忍池を通り、東大病院の裏に出て、東大キャンパスを横断し、やっとわが研究所に到着する。
私にとって、上野駅から、東大病院裏門までの間がいけなかった。特に弁財天の境内は、当時、大道芸人の巣だったのだから。
ガマの油売りはもちろんのこと、「数を百ケタ暗記する超能力者」、針の穴に目をつむっても糸を通してしまう魔法の機械、紙人形が歌に合わせて踊り出す芸、どんな字を書いて丸めても即座に透視してしまう霊能者、などなど。私の大好きだったのは、こんなイカサマな連中だったのだ。
今日こそは、タネを見破ってやろうと、ついつい長居をしてしまい、ハッと気がついたときには、いつもゼミナールが終わりかけていたのだ。

②

寄席にもよく通った。上野鈴本は目と鼻の先だし、人形町末広は、ホールが畳敷きになっていて、とても気に入っていた。そこで志ん生を聞いた。そして、私は物理学者の卵たることをすっかり忘れ、志ん生のトリコになった。

志ん生のはなしの舞台は、いつも下町であった。下町に住む人々の泣き笑い。そして、その志ん生が語る下町言葉に魅せられた。

——少々伺いますが、この辺に大工の山田喜三郎という人は居ますかな。——なに？ヤマダキサブロウ⁉ おっそろしくなげー名前だなあ、オーイ、キサッペ、てめえ、山田喜三郎てぇ野郎知ってるか？——ヤマダキサブロウー⁉ なんだそんななめえ、ああ、そうだ、そりゃオレのなまえだ。——オイおめえ、キサッペの本名知ってっか。それが笑わせやがら、山田喜三郎ってんだとよ。——へえ、山田喜三郎？ ヤマダってぇつらかよ、じゃまだてぇつらしやがって………その名人志ん生は、いまはない。そして、上野の大道芸人たちの姿も、どこかに消えてしまった。

③

それ以来、寄席に行く気もしなくなったし落語も聞かなくなった。そして、月日は十年二十年と過ぎた。下町で、志ん生に会いたい、志ん生に登場する下町っ子に会いたいと、いつも心にとめて、ときたま浅草などを訪ねるが、浅草にむかしの面影はない。

——とそんなときであった。私の前に、『こちら葛飾区亀有公園前派出所』という奇妙なマンガが現れた。それまで、一切のマンガなど読んだこともなかった私だったが、このマンガばかりは私を引きつけた。舞台は下町、別にどうでもいいような人物が、どうでもいいように生活している。それが、なんでこんなに面白いのだろう。

そうだ、私の心の中に、二十年前の、三十年前の、志ん生の下町バナシがよみがえってきたのだ。クマさん、八ツァンが住む長屋の変てこりんな住民のように、『こち亀』の人々は、実におかしい。人のめんどうみが良い人、欲の深い人、もの知り顔の人、あわて者、口うるさい人、男と女の、いつもながらの泣き笑い。

こんな人々の中にいると、私はなぜかホッとする。むかし、東北の片田舎の、カヤぶき家のえんがわで、祖母から聞いたものがたりを思い出してなつかしい。『こち亀』の世界は、気どらず、力まず、ありのままの、下町の人々の生活がにじみ出ている。

これに反して、学会とか学者の世界は、気どって、気ばって、人情のかけらもない。いや、それ以上に、学会、学者世界は、気どる以前に、交流そのものがないのだ。学者仲間に、人と人とのふれあいなど不要、不必要と考えているのだ。

それならば、いっそのこと、学者の世界はあきらめて、片足つっこんでいるタレントの世界で、みんなと、おもしろおかしく生きてみたらどうなんだ。それが、そう簡単ではないから始末が悪い。テレビ出演の帰りなど気の合ったタレント同士など、そのあと出かける飲み屋の相談などヒソヒソやっているが、私はいつも仲間はずれ。だれも呼び止めてくれたためしもない。だから、いつもまっ先にスタジオを出て車に乗るのが、私と、相場は決まっている。どうも、私は敬遠されているらしい（ヒガミか？）。

学者の世界にも、タレントの世界にもなじめない私は、たった一人の友達もなく、酒も飲まず、カラオケもやらず、ゴルフ、パチンコをやらず、テレビを見ず、週刊誌も読まず、ただ一途に、本を読み、本を書く毎日なのだ。そして、ストレスがたまると、『こち亀』を引っぱり出し、ソファの上に横になって、ななめ読みする。これで、十分もすると心地よい昼寝ができる。

夜は、『こち亀』は読まない。老眼の目が、ことのほか疲れるからだ。その代わり、テープで志ん生を聞く。私のベッドには、志ん生のテープがおよそ三十本もある。その日の気分によって、『出しもの』をきめる。これで十分もすると、心地よい夜の眠りに入る。ドブのにおいのする下町の長屋で、気の良い人々に囲まれて、カヤの中で、ぐっすり眠りにつくような、安らかな気分となって——。

掲載作品は集英社より刊行されたジャンプ・コミックス『こちら葛飾区亀有公園前派出所』第72巻（1991年11月）第73巻（1992年1月）第74巻（同3月）の中から、著者自らが精選して収録したものです。

集英社文庫〈コミック版〉2月新刊　大好評発売中

To LOVEる—とらぶる— 7 8〈全10巻〉
漫画・矢吹健太朗　脚本・長谷見沙貴

女子が理想のおっぱいになれるララの発明品が、誤ってリトに命中!?　女の子に変身してしまったリトにHなハプニングが起きて…❤

STEEL BALL RUN
ジョジョの奇妙な冒険part7 1 2〈全16巻〉
荒木飛呂彦

舞台は1890年。賞金5千万ドルをかけた乗馬による北米大陸横断レースに、ジャイロ・ツェペリとジョニィ・ジョースターが挑む!

椎名軽穂　恋愛女子短編集Ⅲ
ロケット・ポケット
椎名軽穂

誰かを好き、という自分の気持ちにはっきり気づいた時——。そんな瞬間を思い出させてくれるような短編読み切り4作品を収録です。

 集英社文庫（コミック版）

こちら葛飾区亀有公園前派出所 3

1995年12月20日　第1刷
2017年3月7日　第25刷

定価はカバーに表示してあります。

著　者　秋　本　　治
発行者　鈴　木　晴　彦
発行所　株式会社　集　英　社
東京都千代田区一ツ橋2－5－10
〒101-8050
電話【編集部】03（3230）6251
　　【読者係】03（3230）6080
　　【販売部】03（3230）6393（書店専用）

印　刷　図書印刷株式会社

ISBN4-08-617103-1 C0179